Kerstin Hielscher

Aus dem Land Zahlia

Geschichten zum Zählen und Rechnen im 1. Schuljahr

Oldenbourg

Inhaltsverzeichnis

Vorwort 3

Didaktisch-methodische Hinweise 3

Übungen, Spiele und Bastelanleitungen 8

Geschichten aus dem Land Zahlia 9

Vorgeschichte / Text für den Wiedereinstieg 9

1. Die traurige Null oder Ein wichtiges „Nichts" 9
   Vorstellung der Null als wichtiges Zahlenelement

2. Die wilde Bande oder Wie die Zahlen lernten, sich ordentlich aufzustellen 10
   Festigung der Reihenfolge der Zahlen von null bis neun

3. Hand in Hand mit dem Nachbarn oder Vor und hinter mir 10
   Verinnerlichung der Vorgänger- und Nachfolgerzahlen

4. Von hungrigen und satten Vögeln oder Ein Zeichen hilft beim Vergleichen 11
   Einführung der Vergleichszeichen „größer als" und „kleiner als"

5. Wie die Zahlen eine neue Schwester bekamen oder Die erste zweistellige Zahl 12
   Einführung der Zahl Zehn als erste und kleinste zweistellige Zahl

6. Zwei kleine Striche – mal so, mal so oder Das Pluszeichen und das „ist gleich" 12
   Einführung des Pluszeichens und der Addition sowie des Gleichheitszeichens; arbeiten am Zahlenstrahl

7. Das freundliche Pluszeichen oder Tauschen erlaubt! 13
   Erlernen des Begriffs „Tauschaufgabe" bei der Addition

8. Viele Wege führen zum Ziel oder Wie man Zahlen zerlegt 14
   Zahlzerlegung in Additionsaufgaben

9. Auf zur Zehn oder Die Zehnerfreunde 14
   Additionsaufgaben mit den Zahlen von null bis zehn, deren Ergebnis zehn ist

10. Das kleine 1 + 1 bis 10 oder Kleine Rechnungen mit großer Wirkung 14
    Alle Additionsaufgaben mit den Zahlen von null bis zehn im Zahlenraum bis zehn

11. Das Minuszeichen zieht ein oder Wie gewonnen, so zerronnen 15
    Einführung der Subtraktion und des Minuszeichens

12. Das kleine 1 – 1 bis 10 wird einstudiert oder Hergeben leicht gemacht 15
    Subtraktionsaufgaben im Zahlenraum bis zehn

13. Drei Zahlen und so viele Aufgaben oder Alles über Umkehraufgaben 16
    Umkehraufgaben zur Festigung von Zahlverhältnissen und zur Vorbereitung auf Platzhalteraufgaben

14. Mein rechter, rechter Platz ist frei oder Die Platzhalteraufgaben kommen 16
    Einführung von Rechnungen mit Platzhalter bei der Addition

15. Platzis zweiter Tag oder Platzhalteraufgaben bei Minus-Rechnungen 16
    Einführung von Rechnungen mit Platzhalter bei der Subtraktion

16. Zahlia wird größer oder Bei Zehn ist noch lange nicht Schluss 17
    Fortführung der Zahlen; Zahlenlesen üben; Bündeln von Einern und Zehnern

17. Drauf und dran oder Erst und dann 18
    Rechnerisches Verfahren in zwei Schritten zur Zehnerüberschreitung

18. Wir knacken den Zehner oder Die Zehnerunterschreitung in zwei Schritten ... 19
    Zehnerunterschreitung in zwei Schritten

19. Das Zahlenfest oder Ab in die Ferien 20
    Ende des ersten Schuljahres

Zahlenstreifen 21

Die Bewohner von Zahlia 22

Arbeitsblätter 25

Vorwort oder Rechnen ist keine Zauberei

Ohne Zahlen findet man sich in der Welt nur schwer zurecht – das erfahren die Bewohner vom Land „Zahlia" auch und freuen sich, endlich von den Menschen entdeckt worden zu sein.

Das vorliegende Buch hilft Kindern, sich im Zahlenraum bis 20 zu orientieren sowie die Addition und Subtraktion zu erlernen und entspricht damit dem Lehrstoff der ersten Grundschulklasse (ausgenommen Geometrie, Rechnen mit Euro und Zeit). Es handelt von einer Reise in das Land der Zahlen, die selber erst lernen müssen, miteinander umzugehen, denn sie wissen noch gar nicht, was man alles mit ihnen anstellen kann. Geholfen wird den Zahlen von der Fee Arithmetika. Ganz bewusst werden jeder Zahlenfamilie bestimmte Charaktereigenschaften und Farben zugewiesen. Das Besondere und Neue an diesem Lehrgang ist, dass die Kinder *gemeinsam* mit den Zahlen lernen und sich ihnen gleichgestellt, manchmal vielleicht sogar überlegen fühlen dürfen. Genauso wie die Zahlen lauschen sie erst den Worten der Zahlenlehrerin und Fee Arithmetika, probieren anschließend anhand der Zahlenstreifen (s. S. 21) und der Arbeitsblätter das Gehörte aus und setzen es schließlich in Rechenoperationen[1] um. Der Grundsatz dieses Buches lautet also: lauschen – ausprobieren – rechnen – üben. Es ist ein interaktiver Lehrgang, denn immer wieder werden die Kinder angesprochen bzw. aufgerufen, Übungen mitzumachen und den Zahlen zu helfen. Sie sind fest in das Geschehen eingebunden und nicht bloß stille Beobachter oder Zuhörer. Zahlreiche Spiele, wie zum Beispiel das „Zahlentheater", das im Lehrerkommentar beschrieben wird, laden die Kinder zum Mitmachen ein.

Die „Vorgeschichte" führt die Kinder in das Land „Zahlia" ein. Im Anschluss können nach und nach die einzelnen Kapitel vorgelesen und bearbeitet werden. Werden nur bestimmte Kapitel durchgenommen, empfiehlt es sich, vorher den „Text zum Wiedereinstieg" vorzulesen. Zum leichteren Auffinden der Arbeitsblätter zu den jeweiligen Kapiteln wurden Symbole verwendet. Auf einigen Arbeitsblättern befinden sich zusätzlich schwierigere Aufgaben, die differenziertes Lernen ermöglichen. Hinweise im Text zeigen der Lehrerin[2], wann eine Folie oder ein Tafelbild zu zeigen ist (siehe hierzu auch Kapitel „Didaktisch-methodische Hinweise").

---
[1] In den Geschichten ist auch die Rede von „Erste-Hilfe-Werkzeug", kurz „EHW". Für besonders unsichere Kinder können zusätzlich auch noch Steckwürfel verwendet werden.
[2] Aus Gründen der leichteren Lesbarkeit wurde in diesem Buch die weibliche oder männliche Form gewählt. Selbstverständlich sind immer Lehrerinnen und Lehrer, Schülerinnen und Schüler gemeint.

Didaktisch-methodische Hinweise

Allgemeine Hinweise

- Die Kinder werden in den Geschichten immer wieder direkt angesprochen; diese Textstellen sind kursiv gedruckt.
- Eine Kopiervorlage mit Zahlenstreifen finden Sie auf Seite 21 (die Farben werden in der Vorgeschichte sowie den Hinweisen zum 2. Kapitel angegeben).
- Für unsichere Kinder können Sie Steckwürfel bereithalten.
- Das Spiel „Zahlentheater", das im 2. Kapitel vorgestellt wird, zieht sich in verschiedenen Variationen durch den gesamten Lehrgang.

Kapitel 1:
Die traurige Null oder Ein wichtiges Nichts

Lernziel: Die Kinder sollen die Null als wichtiges Zahlenelement kennenlernen.

Text: Einleitungstext (Vorgeschichte) auf Seite 9 und Geschichte auf Seite 9f.

Material: weißes DIN-A4-Papier, Buntstifte, Klebstoff, Schere, Kataloge und/oder Reklameblätter

Ablauf: Zunächst werden die Geschichten vorgelesen. Danach fertigen die Kinder ein Bild von „Zahlia" an. Sie können die Zahlen selber zeichnen oder verschiedene Zahlen aus Katalogen und Reklameblättern ausschneiden und aufkleben.
Abschließend bearbeiten die Kinder AB, S. 25.

Kapitel 2: Die wilde Bande oder Wie die Zahlen lernten, sich ordentlich aufzustellen

Lernziele: Die Kinder sollen
– die Reihenfolge der Zahlen von null bis neun festigen,
– Zahlenstreifen kennenlernen.

Text: siehe Seite 10

Tafelbild / Folie:
(1) Zahlenreihe von null bis neun durcheinander, dann in richtiger Reihenfolge nach Angabe der Kinder notieren
(2) Zahlenstreifen 1 bis 9 farbig ausmalen: 1 = weiß, 2 = rot, 3 = hellgrün, 4 = lila, 5 = gelb, 6 = dunkelgrün, 7 = schwarz, 8 = braun, 9 = blau

Material: AB, S. 26f.; KV Zahlenstreifen, S. 21, jeweils pro Kind auf weißen Karton kopieren und aus-

malen lassen; auf die Rückseite können die Kinder auch die Würfelaugen schreiben (als Tafelbild / Folie vorgeben).

Zahlenstreifenspiel: Jedes Kind erhält einen Würfel und neun Muggelsteine (o. Ä.); dann würfeln die Kinder nacheinander, suchen sich den entsprechenden Streifen heraus und legen die Anzahl der Muggelsteine daneben.

Spiel „Zahlentheater"
Bastelanleitung: Die Zahlen von null bis neun in den Farben der Zahlenstreifen auf weißen Fotokarton (DIN A4) schreiben; anschließend durch zwei Löcher ein Band zum Umhängen einfädeln. Wer mag, kann die Karten zuvor noch laminieren und auch schon die restlichen Zahlen bis 20 vorbereiten.
Tipp: Man kann die Karten auch als Zahlenleiste / Zahlenstrahl auf den Fußboden legen und „abgehen". So lassen sich bestimmte Rechenoperationen besser verinnerlichen.

Spiel-Varianten:
(a) Immer zehn Kinder dürfen sich eine Zahlenkarte nehmen und umhängen und müssen sich dann in der richtigen Reihenfolge aufstellen.
(b) Die anderen Kinder nennen eine Zahl, die vortreten muss.
(c) Alle Zahlenkinder stehen wild durcheinander. Die anderen Kinder geben den „Zahlen" Anweisungen, wo sie stehen müssen.
(d) Eine Zahl hat sich falsch eingereiht und wird von einem Kind an den richtigen Platz gebracht.

Kapitel 3:
Hand in Hand mit dem Nachbarn oder Vor und hinter mir

Lernziel: Die Kinder sollen Vorgänger und Nachfolger der Zahlen null bis neun kennenlernen und verinnerlichen.

Text: siehe Seite 10f.

Tafelbild / Folie:

Spiel „Zahlentheater"
(a) Ein Kind zieht eine Zahlenkarte und stellt sich vor die Klasse. Zwei weitere Kinder suchen aus den restlichen Karten Vorgänger und Nachfolger heraus und stellen sich links bzw. rechts neben das Kind.
(b) Die Lehrerin nennt eine Zahl. Die Kinder müssen nun Vorgänger und Nachfolger bestimmen und alle drei Zahlen mit ihren Streifen legen.

Material: AB , S. 28f.

Kapitel 4:
Von hungrigen und satten Vögeln oder Ein Zeichen hilft beim Vergleichen

Lernziel: Die Kinder sollen die Zeichen „größer als" und „kleiner als" kennenlernen und anwenden.

Text: siehe Seite 11

Tafelbild / Folie:

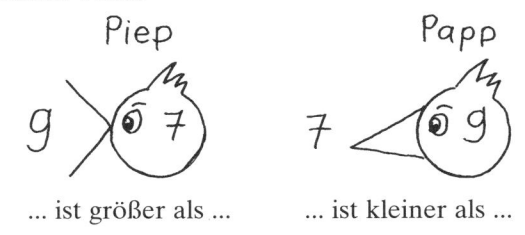

... ist größer als ...   ... ist kleiner als ...

Zahlen später, d. h. während des Vorlesens einfügen

Material: Zahlenstreifen, Streichhölzer; AB , S. 30

Kapitel 5:
Wie die Zahlen eine neue Schwester bekamen oder Die erste zweistellige Zahl

Lernziele: Die Kinder sollen
– die Zehn als erste und kleinste zweistellige Zahl kennenlernen,
– sich mit dem Zahlenstrahl vertraut machen.

Text: siehe Seite 12

Tafelbild / Folie:

(1) orangefarbene Zehn

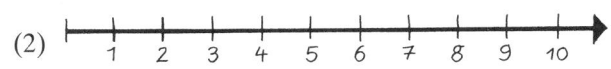

(2) 1 2 3 4 5 6 7 8 9 10

Material: AB , S. 31; pro Kind ein 10er-Zahlenstreifen (austeilen und orange ausmalen lassen), 10er-Zahlenkarte (siehe S. 4, Spielanleitung „Zahlentheater")

Kapitel 6:
Zwei kleine Striche – mal so, mal so oder Das Pluszeichen und das „ist gleich"

Lernziele: Die Kinder sollen
– Additionsaufgaben lösen sowie die Bedeutung von Plus- und Gleichheitszeichen kennenlernen,
– mit dem Zahlenstrahl arbeiten.

Text: siehe Seite 12f.

Material: Plus- und Gleichheitszeichen auf Fotokarton zeichnen oder als Tafelbild anbieten; AB 🍎, S. 32; farbige Zahlenstreifen, fünf Äpfel

Spiel „Hüpfen am Zahlenstrahl": Über dieses Spiel lernen die Kinder, Additionsaufgaben mithilfe des Zahlenstrahls zu lösen. Beispiel: 5 + 2 = ?; elf Kinder stellen sich in eine Reihe und bilden so den Zahlenstrahl von null bis elf. Die Fünf steht, die anderen hocken. Ein Kind „hüpft" nun die Aufgabe und spricht dabei laut. Es landet bei der Sieben, die nun auch aufstehen darf. Danach wird getauscht und eine neue Aufgabe gestellt.

Kapitel 7:
Das freundliche Pluszeichen oder Tauschen erlaubt!

Lernziel: Die Kinder sollen das Prinzip der Tauschaufgabe bei der Addition kennenlernen und anwenden.

Text: siehe Seite 13

Tafelbild / Folie: Aufgabe 4 + 2 = 6 und 2 + 4 = 6 mit Zahlenstreifen aufzeichnen

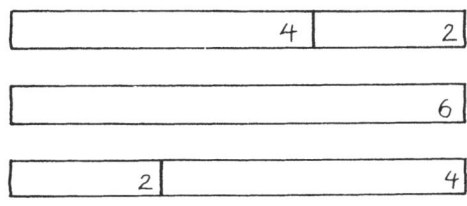

4	2

6

2	4

Material: Zahlenstreifen; AB 🌙, S. 33

Kapitel 8:
Viele Wege führen zum Ziel oder Wie man Zahlen zerlegt

Lernziel: Die Kinder sollen Zahlen in Additionsaufgaben zerlegen.

Text: siehe Seite 14.

Tafelbild / Folie: Das Haus der „Fünferfreunde" entweder auf Folie oder an die Tafel zeichnen und anschließend mit der Klasse besprechen.

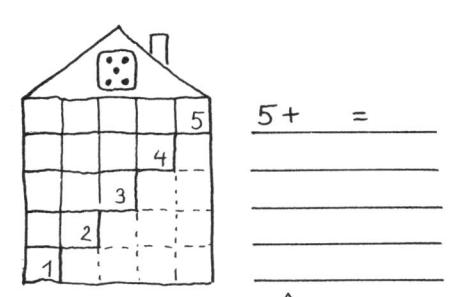

5 + _ = _

Material: Zahlenstreifen; AB 🏠, S. 34

Kapitel 9:
Auf zur Zehn oder Die Zehnerfreunde

Lernziel: Die Kinder sollen Additionsaufgaben üben, die als Ergebnis zehn haben, um später Rechenvorteile nutzen zu können.

Text: siehe Seite 14

Material: Zahlenstreifen, AB 🚩, S. 35f.; außerdem werden Karten von den „Zehnerfreunden" benötigt:

1 + 9; 9 + 1; 2 + 8; 8 + 2; 3 + 7; 7 + 3; 4 + 6; 6 + 4; 5 + 5; 10 + 0; 0 + 10

Die Kinder nennen ihre Aufgaben und die Lehrerin hängt die entsprechende Karte an die Tafel. Anschließend bearbeiten die Kinder die beiden Arbeitsblätter.

Kapitel 10:
Das kleine 1+1 bis 10 oder Kleine Rechnungen mit großer Wirkung

Lernziel: Die Kinder sollen alle Plus-Rechnungen im Zahlenraum bis zehn erarbeiten und üben.

Text: siehe Seite 14f.

Tafelbild / Folie: Tabelle zur Kontrolle auf Folie oder Tafel übertragen; „Zehnerfreunde" und Zwillingsaufgaben farbig markieren.

+	0	1	2	3	4	5	6	7	8	9	10
0	0	1	2	3							
1	1	2	3								
2											
3											
4											
5											
6											
7											
8											
9											
10											

Material: AB ☁, S. 37; evtl. Zahlenstreifen; Karten mit allen Aufgaben (für die Tafel)

Kapitel 11:
Das Minuszeichen zieht ein oder
Wie gewonnen, so zerronnen

Lernziel: Die Kinder sollen Aufgaben mit Subtraktion kennenlernen.

Text: siehe Seite 15

Tafelbild / Folie: Um die Subtraktion zu veranschaulichen, können verschiedene Zahlenstrahl-Varianten eingesetzt werden:

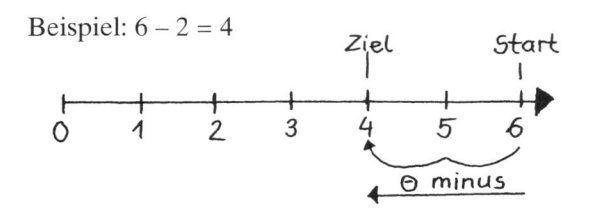

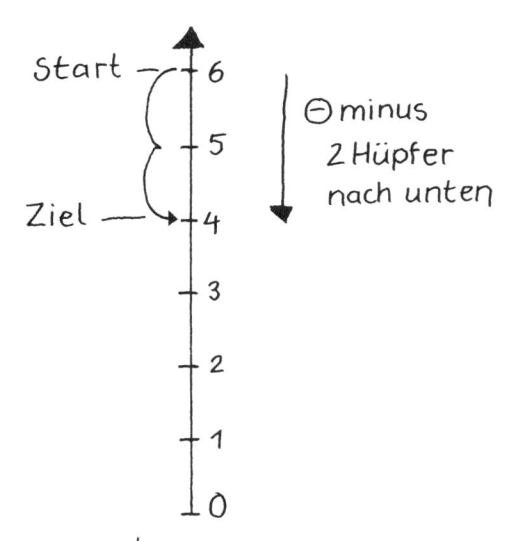

Beispiel: 6 − 2 = 4

Material: AB, S. 38; Zahlenstreifen, ggf. Erdbeeren und Muggelsteine o. Ä., Zahlenkarten

Spiel „Hüpfen am Zahlenstrahl": Kinder „hüpfen" am Zahlenstrahl und sprechen dazu (vgl. S. 5).

Kapitel 12:
Das kleine 1 − 1 bis 10 wird einstudiert oder
Hergeben leicht gemacht

Lernziel: Die Kinder sollen alle Minus-Aufgaben im Zahlenraum bis zehn erarbeiten und lösen.

Text: siehe Seite 15

Tafelbild / Folie: Tabelle zur Kontrolle auf Folie oder Tafel übertragen.

−	0	1	2	3	4	5	6	7	8	9	10
10	0	9	8	7							
9	0	8	7								
8											
7											
6											
5											
4											
3											
2											
1											
0											

Material: AB, S. 39 Zahlenstreifen, Karten mit allen Aufgaben (für die Tafel)

Kapitel 13:
Drei Zahlen und so viele Aufgaben oder
Alles über Umkehraufgaben

Lernziele: Die Kinder sollen
– erkennen, dass Umkehraufgaben als Kontrollmöglichkeit bei Rechnungen dienen,
– über das Anwenden von Umkehraufgaben zusätzlich Zahlenverhältnisse festigen,
– sich über das Lösen von Umkehraufgaben auf Platzhalteraufgaben vorbereiten.

Text: siehe Seite 16

Tafelbild / Folie:

(1) 3 + 4 = 7
(2) 7 − 4 = 3
(3) 3 →(+4) 7, 7 →(−4) 3
(4) 8 − 2 = 6
(5) 6 + 2 = 8
(6) 8 →(−2) 6, 6 →(+2) 8

Material: Karten mit Rechenzeichen (rund) für Plus, Minus und ist-gleich; Zahlenstreifen, AB, S. 40

Kapitel 14:
Mein rechter, rechter Platz ist frei oder Die Platzhalter-Aufgaben kommen

Lernziel: Die Kinder sollen Plusaufgaben mit Platzhalteraufgaben lösen.

Text: siehe Seite 16

Tafelbild:

(1) 4 + ? = 7

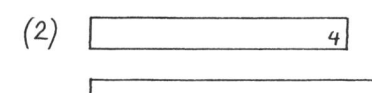

(2) [Streifen mit 4] [Streifen mit 7]

Welcher Streifen passt?

Material: Zahlenstreifen; AB ♥, S. 41

Kapitel 15:
Platzis zweiter Tag oder Platzhalter-Aufgaben bei Minusrechnungen

Dieses Kapitel kann auch in zwei Unterrichtsstunden behandelt werden (siehe Hinweis in der Geschichte)

Lernziel: Die Kinder sollen Minusaufgaben mit Platzhalter lösen.

Text: siehe Seite 16f.

Tafelbild:

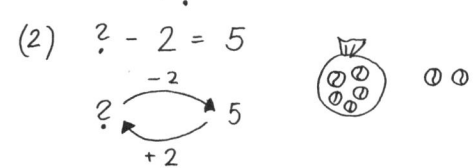

(1) 6 − ? = 4

6 −?→ 4, 4 +?→ 6

(2) ? − 2 = 5

? −2→ 5, 5 +2→ ?

Material: Bonbons oder Gummibärchen; AB, S. 42f.

Kapitel 16:
Zahlia wird größer oder Bei Zehn ist noch lange nicht Schluss

Lernziele: Die Kinder sollen
– die Zahlenreihe bis 20 fortführen,
– Zahlen, die diktiert oder als Zahlwort dargestellt werden, korrekt notieren,
– das Bündeln von Einern und Zehnern üben.

Text: siehe Seite 17f.

Tafelbild / Folie:

(1) [Zahlenstrahl 0 bis 20 mit Balken 10, 1, 2, 3 usw.]

(2) **13** **19**

drei-zehn   neun-zehn

Material: AB [Turm], S. 44; Zahlenstreifen (für unsichere Kinder)

Zahlendiktat: Um die Schreibweise zweistelliger Zahlen zu sichern, kann die Lehrerin den Kindern verschiedene Zahlen diktieren.

Spiel 1: „Zahlentheater"
Die Lehrerin verteilt die Zahlenkarten von 11 bis 20 (Zahlwort aufkleben) an die Kinder, die die Geschichte nachspielen, sich also an die Zehn anreihen. Variante: Die „Zahlenkinder" stellen sich ungeordnet auf und werden von ihren Klassenkameraden in die richtige Reihenfolge gebracht.

Spiel 2: „Bündelspiel"
Ein Kind ist der „Zehner" und ruft beispielsweise drei weitere Kinder, die „Einer", zu sich. Die anderen Kinder müssen nun die dargestellte Zahl (in diesem Fall „dreizehn") nennen. Man kann das Spiel auch umgekehrt durchführen: Die Zehner- und Einerkinder bilden auf Zuruf Zahlen.

Kapitel 17:
Drauf und dran oder Erst und dann

Lernziel: Die Kinder sollen lernen, Plusaufgaben mit Zehnerüberschreitung in zwei Schritten zu lösen, indem sie die zu addierende Zahl zerlegen (Ergänzen bis Zehn, dann Rest hinzufügen).

Text: siehe Seite 18f.

Tafelbild / Folie:

(1) 9 + 3 = ?

(2) [Zahlenstrahl mit Start bei 9, Zwischenstopp bei 10, Ziel bei 12; +1, +2]

9 + 3
9 + 1 + 2 = 12   erst 1, dann 2
(10)

Material: AB [Lineal], S. 45

7

Kapitel 18:
Wir knacken den zweiten Zehner oder
Die Zehnerunterschreitung in zwei Schritten

Lernziel: Die Kinder sollen lernen, Minusaufgaben mit Zehnerunterschreitung in zwei Schritten zu rechnen (Zahlen zerlegen).

Text: siehe Seite 19f.

Tafelbild / Folie:

(1) Erst und dann – trau dich ran!
Ob Minus oder Plus – es macht dir keinen Verdruss

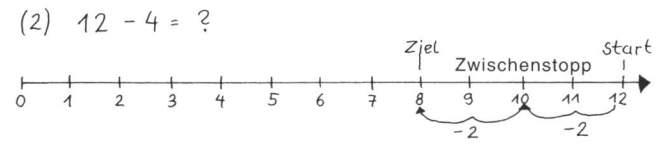

(2) 12 − 4 = ?

```
                                    Ziel        Start
                              Zwischenstopp
 ├──┼──┼──┼──┼──┼──┼──┼──┼──┼──┼──┼──┤
 0  1  2  3  4  5  6  7  8  9  10 11 12
                              ⌣    ⌣
                              −2   −2
```

Material: AB ☆, S. 46

Kapitel 19:
Das Zahlenfest oder Ab in die Ferien

Diese Stunde beendet die Zahlia-Sequenz. Wer möchte, kann mit der Klasse ebenfalls ein Zahlenfest feiern und diese letzte Stunde entsprechend spielerisch und aufgelockert ausklingen lassen.

Text: siehe Seite 20

Material: AB ✏, S. 47f.

Spiel „Plus-Minus-Zwanzig" (S. 48)
Für dieses Spiel werden die Zahlenkarten benötigt (siehe Hinweis zum Zahlentheater, S. 4). Zu Beginn wird eine Zahlenkarte gezogen. Diese gibt die Zielzahl vor, beispielsweise 5. Die Kinder müssen nun eine Plus- und eine Minusaufgabe finden, deren Ergebnis fünf ist, Vorgänger und Nachfolger aufschreiben sowie die Differenz von der Zielzahl bis zehn (Zehnerfreund) bzw. 20 notieren. Für jeden korrekten Eintrag gibt es zwei Punkte.

Übungen, Spiele, Bastelanleitungen

Die folgenden Spiele, Übungen und Gestaltungsanregungen eignen sich hervorragend, um den Unterricht aufzulockern und Gelerntes zu festigen.

Zahlen darstellen (Übungen)
- Zahlen zeigen und benennen lassen, z.B. in Zeitungen, und dazu den passenden Rechenstreifen legen.
- Zahlen in Sand malen: Dazu verwendet man am besten Vogelsand, den man auf einen großen Teller oder ein Tablett streut.
- Zahlen in die Luft schreiben (die Kinder sitzen dazu nebeneinander) und den Spielpartner raten lassen, welche Zahl geschrieben wurde:
  a) mit dem Finger,
  b) mit dem Fuß,
  c) mit der Nase.

Zahlen tasten (Material)
- Zahlen aus einem getrockneten Leimstrang oder mit Kerzenwachs und Tropftechnik auf Pappkarten „schreiben",
- Zahlen aus Schmirgelpapier ausschneiden und auf Pappkarten kleben.

Zahlen tasten (Übungen)
- Zahlen aus Holz, Salzteig oder Ton im Fühlsack bzw. unter einem Tuch finden – entweder willkürlich oder nach Vorgabe („Suche bitte die Zahl Sieben.").

Zahlen vorstellen (Visualisierungsübung)
- Augen schließen und nach Anweisung eine Zahl vorstellen. Ggf. vorher die Hände (vor allem die Handballen) aneinander reiben, bis die Hände schön warm sind. Die warmen Handballen dann sanft auf die geschlossenen Augenlider drücken.

Zahlenpaare finden (Spiel)
- Vorbereitung: Aus Zeitungen usw. je zwei gleichwertige Zahlen ausschneiden und auf ca. 5 x 5 cm große Pappkarten kleben.
- Durchführung: Zu Beginn werden alle Karten umgedreht. Ziel ist es, durch Aufdecken von Karten möglichst viele Zahlenpaare zu finden. Jeder Spieler darf pro Runde nur zwei Karten wenden.

Zahlen festigen
- Karteikarten anlegen für Merksätze und bestimmte Rechnungen.
- Merkleine für zu Hause oder das Klassenzimmer mit Merksätzen aufhängen.

Geschichten aus dem Land Zahlia

Vorgeschichte

Ich will dir heute von einem Land erzählen, in dem die Zahlen zu Hause sind. Dieses Land heißt Zahlia. Eigentlich sieht es fast so aus wie bei uns: Es gibt Wälder mit Bäumen, Wiesen mit Blumen, Bäche, Berge und Seen. Aber es wohnen keine Menschen in diesem sonderbaren Land, sondern Zahlen. Es gibt große und kleine Zahlen in unterschiedlichen Farben und Formen.

Die weißen Einser haben es sich am Flussufer bequem gemacht. Die roten Zweier wohnen am Waldrand. Die hellgrünen Dreier wohnen in Strohhütten. Die lila Vierer haben ein kleines Dorf errichtet. Die gelben Fünfer wohnen in einem mehrstöckigen Haus aus Stein. Die dunkelgrünen Sechsen haben sich ein Hausboot gebaut und am Seeufer angebunden. Die schwarzen Siebener leben in Zelten. Die braunen Achten leben in den Bergen und die blauen Neuner wohnen im Wald in Baumhäusern.

Die Zahlen gehen genauso in die Schule wie du. Ihre Lehrerin ist die Fee Arithmetika. Sie bringt ihnen das Rechnen bei. *(Wie heißt deine Rechenlehrerin?)* Sie sieht aus wie ein kleines Mädchen mit braunen Locken. Am liebsten trägt sie eine blaue Hose und einen roten Pulli, doch besonders schön ist ihr Umhang. Er ist aus einem ganz besonderen Stoff gewebt und so leicht, dass er unablässig hin und her weht, auch wenn sich kein Lüftchen rührt. Der Umhang ist bestickt mit allen möglichen Zahlen in den leuchtendsten Farben.

Hör gut zu, und du wirst erfahren, was sich im Land Zahlia für wundersame Geschichten zutragen.

Text für den Wiedereinstieg

Heute wollen wir wieder das Land Zahlia besuchen und den Zahlenschülern beim Rechnen lernen über die Schulter schauen. Hör gut zu, was sich dort heute ereignet und übe mit den Zahlen.

1. Die traurige Null oder Ein wichtiges „Nichts"

Eines Tages kam ein seltsames Ding nach Zahlia. Es war fast rund und innen hohl. Aber eigentlich glich es eher einem Hühnerei. Unsicher blickte es um sich. Schließlich baute es sich eine Holzhütte am Rande einer Wiese.

„Ich würde zu gerne wissen, wie dieses Etwas eigentlich heißt", sagte eine der Einser, „ich gehe mal zu den Sechsern und frage, ob sie etwas herausgefunden haben."

Doch auch die Sechsen hatten keinen blassen Schimmer, wer dort auf der Wiese in der Holzhütte lebte. Also beschlossen die Einsen und die Sechsen, die anderen Zahlen zu befragen, doch keiner wusste eine Antwort. Langsam wurden die Zahlen unruhig und misstrauisch. „Wer weiß, was das für komische Dinger sind. Ich habe mal von einem Buchstaben gehört, der so ähnlich aussieht", meinte eine schnörkelige lila Vier. „Ja, aber was hat denn ein Buchstabe in Zahlia verloren? Die wohnen doch im Buchstabenland Letrix!", wunderte sich eine große königsblaue Neun. So saßen sie alle beisammen und stellten die wildesten Vermutungen an. Plötzlich warf etwas Rundes seinen Schatten über ihre Versammlung. Erschrocken drehten sich alle um. Dort stand dieses runde Ding mit vielen kleinen bunten anderen Dingern. „Guten Tag! Entschuldigt bitte, wir wollten euch weder belauschen noch stören. Wir sind die Familie Null und wohnen in der kleinen Holzhütte am Rand der Wiese." Die anderen Zahlen sahen die Familie Null erstaunt an. „Eigentlich sehen sie ganz niedlich aus", flüsterte eine dunkellila Vier ihrer Nachbarin zu. „Ach, ich weiß nicht. Ich finde sie irgendwie so ... so nichtssagend", argwöhnte eine andere Vier. Familie Null bemerkte sehr wohl, dass sie nicht so recht willkommen war in Zahlia. Traurig senkten Vater und Mutter Null ihre Köpfe und wandten sich ab, um wieder in ihre Hütte zu gehen.

„Moment!", donnerte da plötzlich eine ziemlich wuchtige Neun. „Wie ihr sicherlich wisst, ist dies das Land der Zahlen. Jede Zahlenfamilie, die hier lebt, hat einen Wert. Ich frage mich nun, da wir eigentlich komplett sind und noch nie von einer weiteren Zahl gehört haben", er räusperte sich und fuhr in strengem Ton fort, „was habt ihr für einen Wert?" Es war mucksmäuschenstill geworden. Alle Zahlen warteten gespannt auf die Antwort von Vater Null. „Wir haben keinen Wert", gab Vater Null kleinlaut zur Antwort, „eigentlich sind wir nichts. Man hat uns aber gesagt, dass wir trotzdem hier hingehören ...", weiter kam er nicht, da die anderen Zahlen wild durcheinander redeten. „Eine Zahl ohne Wert?" „Ein Nichts? Was soll das sein?" Die Bestürzung unter den Zahlenfamilien war groß. Mit gesenkten Köpfen verließ Familie Null die Versammlung und ging traurig in ihr Haus zurück.

Einige Tage später versammelten sich alle Zahlen auf der Waldlichtung. Da zuckte plötzlich ein blauer Blitz durch die Luft und neben einer Holzkiste stand ein kleines Mädchen. Es hatte braune Locken, trug eine blaue Hose und einen roten Pulli. Besonders schön war ihr Umhang. Er war aus einem ganz besonderen Stoff und so leicht, dass er unablässig hin und her wehte, auch wenn sich kein Lüftchen rührte. Der Umhang war bestickt mit allen möglichen Zahlen in den leuchtendsten Farben. Das Mädchen, das niemand anderes war als die Fee Arithmetika, nieste laut und schnäuzte sich die Nase. „Igitt, ich glaube ich bin allergisch gegen diesen blauen Blitz. Ich werde es einmal mit einem gelben

versuchen. HATSCHI! BRRRRR!", Arithmetika schüttelte sich und ihr Zahlenumhang blähte sich auf. „Aber nun zu euch. Ihr macht mir ja schöne Geschichten!", sie stemmte ihre Hände in die Hüften und sah die Zahlen der Reihe nach streng an. „Na ja. Vielleicht ist es ja auch meine Schuld. Eigentlich wollte ich die Familie Null zu euch bringen. Aber ich hatte dringende Geschäfte bei den Menschen zu erledigen." Wieder musste sie laut niesen. „Du kennst diese wertlose Bande?", polterte Vater Neun los. Arithmetika sah ihn böse an. „Du stehst ja noch immer hier rum. Los, setz dich, alter Stänkerer! Und jetzt hört ihr mir alle gut zu! Ich habe die Familie Null zu euch geschickt, weil sie zu euch gehört! Dass ihr alle den Wert der Nullen nicht erkennt, liegt nur daran, dass ihr eine Horde ungehobelter Kerle seid, die wild und ohne Ordnung durcheinanderwuseln, doch das wird sich nun ändern. Die Menschen haben begonnen, euch zu entdecken!" Erstaunt sahen die Zahlen sich an und ein Gemurmel entstand. „Ruhe! Ja, endlich haben die Menschen begonnen, zu zählen...", weiter kam die Fee nicht, denn die Zahlen sprangen auf und jubelten wild durcheinander. „Juchhu! Endlich! Sie zählen, sie zählen!" Arithmetika wartete einen Augenblick, denn so streng war sie nun auch wieder nicht. Sie wusste ja selbst nur allzu gut, wie lange die Bewohner von Zahlia darauf gewartet hatten. „Wir haben noch eine Menge Arbeit, bevor alles so abläuft, wie es erdacht wurde", unterbrach Arithmetika die jubelnden Zahlen endlich, „als Erstes müssen wir mal ein wenig Ordnung in eure Reihen bringen. Ihr seid alle so stolz auf euren ‚Wert', aber dass das in einer bestimmten Reihenfolge zu sehen ist, auf die Idee seid ihr noch nie gekommen! Nur gemeinsam bildet ihr eine Einheit. Auch für euch gibt es feste Regeln, an die ihr euch von jetzt an bis in alle Ewigkeit halten müsst." Vater Neun zog die Augenbrauen hoch und um seine Mundwinkel herum zuckte es, denn er war nicht gerade derjenige, der Regeln befolgte, sondern sie selber gerne aufstellte. „Aber du hast uns doch immer gesagt, wir seien die wichtigsten Zahlen", äußerte eine weiße Eins zaghaft. „Natürlich, das seid ihr ja auch. Ihr seid die Zeichen, aus denen noch viel, viel mehr Zahlen entstehen können, aber dafür braucht ihr auch die Nullen. Es ist wahr: Null bedeutet ‚nichts'. Aber das heißt eben nicht, dass wir sie nicht brauchen, denn die Null steht künftig an erster Stelle von eurer Reihe und außerdem benötigen wir sie dringend für größere Zahlen."

Und damit gaben sich endlich alle Zahlen zufrieden und schüttelten den Nullen zur Versöhnung die Hände.

Du da vor dem Buch: Nenne eine Zahl deiner Wahl. Kannst du sie auch schreiben?

[AB, S. 25]

2. Die wilde Bande oder Wie die Zahlen lernten, sich ordentlich aufzustellen

Arithmetika hatte alle Bewohner von Zahlia – auch die Nullen – für diesen Tag auf die Waldlichtung bestellt. „Hallo, meine liebe wilde Bande!", begrüßte sie alle. „Heute will ich anfangen, euch zu ordnen. Die Menschen haben euch endlich entdeckt und so soll nun jede von euch lernen, ihren Platz einzunehmen." Sie holte ihren Zauberstab aus der Hosentasche und flüsterte folgenden Zauberspruch:

„Ohne viel Geschwafel – ich hätte gern 'ne Tafel."

Und mit einem feinen „Plopp" stand hinter ihrem Rücken eine große grüne Schiefertafel mit folgender Aufschrift:

[Tafelbild (1)]

Arithmetika wischte sich ein paar Schweißperlen von der Stirn und sagte feierlich: „So, das wäre geschafft." Aber als sie sich zur Tafel umdrehte, erschrak sie nicht schlecht: „Huch! Was ist das? Die sind ja ganz durcheinander! Wer kann mir helfen, das in Ordnung zu bringen?"

Du da vor dem Buch: Hilf doch bitte der Fee, damit alles stimmt und keiner mehr spinnt.

[Tafelbild (2): Nach Anweisung der Schüler die richtige Reihenfolge an die Tafel schreiben.]

„Ja, so ist es schon besser. Merkt euch euren Platz und denkt immer daran, die Dinge nicht nur nach ihrem Wert zu bemessen, denn nur zusammen bildet ihr ein Ganzes. Und ‚mehr' bedeutet auch nicht ‚besser'! – Ich gebe euch jetzt Zahlenstreifen. Damit kann man prima rechnen. Auf die Tafel habe ich euch auch schon die Farben für jeden Streifen gemalt. Viel Spaß!" Mit diesen Worten verschwand die Fee Arithmetika in einem gelben Blitz.

Hallo, du da vor dem Buch: Hier hast du deine Streifen und jetzt bloß nicht kneifen! Was die Zahlenschüler können, das kannst du doch auch. Danach füllst du bitte noch die Arbeitsblätter aus.

[AB, S. 26f.]

3. Hand in Hand mit dem Nachbarn oder Vor und hinter mir

Die Zahlen waren schon alle sehr gespannt darauf, was ihre liebe Fee beim nächsten Besuch für neue Spiele mitbringen würde. Und endlich war es wieder so weit.

„Was für ein herrlicher Tag, um seinen Nachbarn zu begrüßen!", rief Arithmetika den Zahlen freudig entgegen. „Wie meinst du das?", wollten die Zahlen sofort wissen. „Jede Zahl hat zwei Nachbarn. Die Nachbarn sind die Zahlen, die direkt neben euch stehen. Also die eine davor und die andere dahinter. Seht her!", sie winkte eine kleine apfelgrüne Drei zu sich und stellte

auf deren linke Seite eine tomatenrote Zwei. Auf die lila Vier brauchte sie gar nicht lange zu warten, denn sie hatte schon verstanden, dass sie sich rechts von der Drei aufstellen musste.

Hallo, du da im Klassenzimmer: Spiel doch mit, das wär' der Hit!

[Zahlenkarten verteilen; immer drei Kinder reichen sich die Hände als Nachbarzahlen.]

[Tafelbild - farbig]

Die drei Zahlen reichten sich die Hände und waren froh und vergnügt.

„Das habt ihr wirklich gut gemacht! Jetzt kennt jeder seine Nachbarn!", rief die Fee begeistert. Doch da hob eine buntschillernde Null die Hand: „Aber vor mir steht niemand. Ich habe nur einen Nachbarn." Traurig senkte sie ihren Kopf. „Ja, da hast du recht. Aber sei nicht traurig, es ist trotzdem etwas ganz Besonderes, als Erster in einer Reihe zu stehen, und mit der Eins hast du wirklich einen netten Nachbarn." Das beruhigte die Null und sie lächelte wieder.

Hier schließen wir zunächst das Buch und wagen selber den Versuch. Ich hab dir etwas mitgebracht, das dir sicherlich viel Freude macht.

[AB , S. 28f.]

4. Von hungrigen und satten Vögeln oder Ein Zeichen hilft beim Vergleichen

Als Arithmetika das Klassenzimmer betrat, saß auf jeder ihrer Schultern ein kleiner Vogel. Erstaunt blickten die Zahlenschüler auf die beiden Piepmätze, die nicht minder erstaunt umherschauten. „Ich habe euch heute Piep und Papp mitgebracht", begann die Fee den Unterricht. „Sie wollen mir helfen, euch ein Zeichen zu erklären." Die beiden Vögel nickten eifrig, doch Arithmetika fuhr fort: „Ihr habt nun so fleißig geübt und wisst wirklich einiges über Zahlen. Heute wollen wir Zahlen vergleichen. Wir wollen mithilfe von Piep und Papp Zahlen nach ihrer Größe ordnen." Sofort meldete sich eine dunkelbraune Acht: „Was heißt denn vergleichen? Kannst du das bitte noch etwas genauer erklären?" „Aber natürlich. Pass auf: Vergleichen kann man fast alles. Zum Beispiel die Länge eines Weges, die Anzahl von Keksen in zwei Packungen oder eben die Größe von Zahlen. Ihr wisst ja, dass ihr euch in einer bestimmten Reihenfolge aufstellen müsst und dabei wird euer Wert immer mehr – das kennt ihr bereits von eurem EHW, bei denen ihr auch die Länge vergleichen könnt. Und länger bedeutet ‚mehr' oder ‚größer'."

He, du vor dem Buch – mach gleich den Versuch: Sieh dir dein EHW ruhig wieder an und probiere Folgendes aus: Stelle immer zwei Streifen als Turm nebeneinander. Der längere bedeutet ‚größer' und der kürzere bedeutet ‚kleiner'.

„Jetzt werden uns Piep und Papp helfen. Piep kümmert sich um die großen Zahlen und Papp um die kleinen." Bei diesen Worten drehte Piep seinen kleinen runden Kopf zur Seite und sperrte seinen Schnabel weit auf. „Seht ihr, Piep mag nämlich nur große Zahlen und öffnet darum seinen Schnabel, aber Papp ist schon satt und hat seinen Schnabel geschlossen, denn eine kleinere Zahl mag er nicht essen. Und so sehen auch die neuen Zeichen aus – wie ein offener und ein geschlossener Vogelschnabel. Ich male sie euch mal an die Tafel." Artig flogen Piep und Papp auf das Lehrerpult und pickten ein paar Brotkrumen auf, die die Fee dort für sie hingelegt hatte.

[Tafelbild / Folie]

Du da vor dem Buch: Nimm jetzt ganz behände zwei Streichhölzer in die Hände. Lege sie als Zeichen zwischen deine Zahlenstreifen.

„So sieht das also aus. Aber nun zu den Zahlen", die Fee kratzte sich an ihrem Wuschelkopf und blickte durch die Reihen ihrer Schüler. „Du da, kleine blaue Neun und du dort hinten, schwarze Sieben: Ihr beide kommt bitte mal zu mir nach vorne! Sehr schön. Nun seht an die Tafel. Ich habe euch ja notiert, was wir bei diesen Zeichen sagen. Versucht doch mal, euch vor und hinter den Schnäbeln aufzustellen und sprecht dabei ruhig laut."
Die meerblaue Neun marschierte vor Pieps geöffneten Schnabel und sprach dabei zaghaft: „Neun ist größer als ..." Erwartungsvoll nickte sie der Sieben zu, die noch nicht ganz verstanden hatte, was sie nun eigentlich machen sollte. Doch dann ging sie schließlich los und stellte sich auf die andere Seite des Schnabels.

[Zahlen in Bild einfügen]

„So, und nun alle im Chor!", forderte die Zahlenlehrerin ihre Schüler auf. „Wie heißt die Aufgabe?" „Neun ist größer als sieben", riefen da alle Zahlen gemeinsam und Arithmetika applaudierte. „Und wenn die beiden nun ihre Plätze tauschen, also die Sieben sich zu Papps geschlossenem Schnabel stellt, dann muss es heißen: Sieben ist kleiner als neun", erklärte sie weiter. „Also merkt euch: Vor dem geöffneten Schnabel steht die größere und vor dem geschlossenen Schnabel steht die kleinere Zahl."

Und du da vor dem Buch machst jetzt auch den Versuch: Übe fleißig mit, dann bist du im Vergleichen bald fit!

[AB , S. 30]

5. Wie die Zahlen eine neue Schwester bekamen oder Die erste zweistellige Zahl

An einem warmen Frühlingsmorgen bekamen die Bewohner von Zahlia endlich wieder Besuch von der Fee Arithmetika, die diesmal in einem knallgrünen Blitz erschien. „Wie ich sehe, habt ihr fleißig geübt", bemerkte sie zufrieden. „Sehr schön, doch heute wollen wir etwas weiter gehen. Wie ihr vielleicht schon ahnt, endet eure Zahlenreihe nicht bei der Neun." Aus den Augenwinkeln beobachtete sie Vater Neun, der diese Ankündigung aber ganz gelassen hinnahm. „Hat denn jemand von euch eine Idee, wie es wohl weitergehen könnte?", fragte die Fee in die Runde.

[Frage auch an die Klasse richten]

„Na ja", sagte eine lila Vier zaghaft, „du hast uns vielleicht noch andere Zahlen mitgebracht." „Aber es gibt doch nur uns!", warf eine verschnörkelte Fünf ein. „Ja, das stimmt, es gibt nur euch. Das Geheimnis ist Folgendes: Ihr müsst euch zusammentun. Die Zauberformel lautet: Aus zwei mach eins!" Arithmetika hob ihren Zauberstab in die Luft, atmete tief ein und begann ihre Beschwörungsformel aufzusagen:

„Ein Zauber bringt euch nun zusammen,

das ist nicht schlimm – ihr müsst nicht bangen.

Damit ihr es auch schnell versteht,

zeig ich euch, wie's geht.

Es ist ganz leicht und fix gemacht,

schaut alle her und gebt gut acht:

Ich zeig euch eine Zahl namens Zehn,

passt auf, ihr werdet sie gleich sehen."

Und während sie sprach, wedelte sie mit ihrem Zauberstab in der Luft herum, dass die Funken nur so sprühten. Langsam sammelten sich die bunten Funken und formten eine Eins. Aber damit endete der Zauber noch nicht, denn aufs Neue prasselten Funken aus Arithmetikas Zauberstab und diesmal formten sie eine Null. Noch lange strahlte die eben geborene Zahl und erleuchtete die Gesichter der Umstehenden. Doch noch bevor der Funkenregen ganz versiegte, erhob die Fee wieder ihre Stimme: „Hier könnt ihr sie nun sehen: Man nennt sie die Zehn".

[Tafelbild/Folie (1)]

„Behandelt sie gut und macht ihr stets Mut!" Mit diesen Worten endete der bunte Funkenregen endlich und die orange Zehn verbeugte sich vor den anderen Zahlen, die alle vor Staunen mit weit aufgerissenen Mündern um sie standen. „Die braucht ja Platz für zwei!", staunte eine kleine Drei. „Ja, genau. Und das macht sie so besonders: Sie ist die erste Zahl, die aus zwei Zahlen gebildet wird. Man nennt das auch ‚zweistellig', weil diese Zahl zwei Plätze braucht – oder Rechenkästchen", fügte die Fee hinzu.

„Guten Tag, liebe Schwestern und Brüder! Ich freue mich so sehr, endlich bei euch zu sein!" Die Fee wischte sich verstohlen eine kleine Träne aus dem Augenwinkel, so gerührt war sie von den Worten der Zehn. Als erster fand Vater Neun wieder Worte: „Wir begrüßen dich ganz herzlich hier im Lande Zahlia, liebe Zehn! Wir, die Familie der Neunen, freuen uns außerordentlich, einen so reizenden Nachfolger bekommen zu haben." Arithmetika verdrehte die Augen. Vater Neun konnte es einfach nicht lassen, er wollte immer etwas Besonderes sein. „Das ist sie also, eure neue Schwester!", verkündete Arithmetika stolz. „Und ich möchte euch noch etwas zeigen." Sie drehte sich zur Tafel um und klappte diese auf.

[Tafelbild/Folie (2)]

„Dies hier ist ein Zahlenstrahl und wie ihr seht, steht dort jede Zahl auf ihrem richtigen Platz. Die Pfeilspitze zeigt nach rechts und das bedeutet, dass in diese Richtung Zahlen folgen, die immer größer werden. Seht ihn euch ruhig einen Moment an. So ein Zahlenstrahl hilft auch beim Rechnen."

Und während die Zahlenschüler den Zahlenstrahl betrachteten, zauberte die Fee der Zehn ein wunderschönes Schloss mit zehn kleinen runden Türmen.

[AB, S. 31]

6. Zwei kleine Striche – mal so, mal so oder Das Pluszeichen und das „ist gleich"

Bei der nächsten Zusammenkunft stand Arithmetika ungeduldig auf der Waldlichtung und hielt ein seltsames Ding in der Hand, das wie eine Art Kreuz aussah. Endlich trudelten auch die letzten Zahlen ein und setzen sich im Kreis um die Fee. Auch die orange Zehn war schon da und hatte ihre Kinder mitgebracht. „Guten Morgen, liebe Zahlen", begrüßte Arithmetika sie alle. „Ich hoffe, ihr habt wohl geruht. Na, dann können wir ja anfangen." Sie setzte sich in die Mitte des Kreises und hielt das Kreuz auf ihrem Schoß mit beiden Händen. „Wir haben ja schon viel geübt, aber jetzt ist es an der Zeit, dass ihr lernt, wie ihr den Menschen helfen könnt zu rechnen, denn sie wollen nicht nur zählen." „Was bedeutet ‚rechnen'?", fragte eine Drei. „Nun, rechnen heißt, dass zwei Zahlen zusammen eine neue Zahl ergeben, wenn sie ein Rechenzeichen in ihre Mitte stellen." „Aha, dann ist das komische Ding, das du da auf dem Schoß hast, ein Rechenzeichen?", fragte wieder die Drei. „Genau so ist es. Es heißt übrigens ‚Plus' und es macht aus zweien von euch mehr." „Das

verstehe ich nicht ganz", warf eine dicke runde Zwei ein, „was soll das heißen – ‚mehr'?" Doch die Fee antwortete nicht, sondern zog aus ihrem Umhang zwei Äpfel, die sie vor sich legte. Darunter stellte sie den Zweierstreifen und legte ein Kärtchen mit einem Pluszeichen daneben. Aus ihrem Ärmel holte sie drei weitere Äpfel, platzierte diese neben die anderen und legte den Dreierstreifen unter die Früchte. „So geht das", sagte sie, „das ist eine Rechenaufgabe. *Wer von euch kann sie lesen?*"

[Aufgabe demonstrieren und die Klasse fragen]

„Sehr gut!", lobte die Fee. „Wenn zwei Zahlen dieses Zeichen zwischen sich stellen, dann erhält man eine höhere, größere Zahl. Plus bedeutet also ‚mehr', ‚dazu', ‚größer'. Oder ‚auf dem Zahlenstrahl weitergehen'", fügte die Fee hinzu. „Wichtig ist, dass der erste Schritt, den ihr macht, gezählt wird, und nicht die Zahl, auf der ihr steht. Aber habt keine Sorge, wir kriegen das schon hin. Ich muss euch aber noch ein anderes, sehr wichtiges Rechenzeichen vorstellen. Dieses Zeichen gibt es in jeder Rechenaufgabe." Arithmetika zog den Zauberstab unter ihrem Umhang hervor und sang folgenden Zauberreim:

„Zwei Striche so fein, zwei Striche so klein. Das kann ja nur das ‚ist gleich' sein."

Und tatsächlich schwebten wie aus dem Nichts zwei kleine Striche, die übereinanderlagen, hinab auf Arithmetikas Schoß.
„Erst dieses ‚ist gleich' macht die Rechenaufgabe perfekt." Nun legte sie das ‚ist gleich' hinter den Dreierstreifen und fragte die Klasse: „*Nun, welchen Streifen muss ich hinter unser ‚ist gleich' legen?*"

[Frage an die Klasse richten]

„Super! Genau, den Fünfer, denn die Aufgabe lautet: Zwei plus drei ist gleich fünf", rief sie voller Begeisterung.

Hier sind Arbeitsblätter für dich: Ich wette, im Rechnen bist du bald fit!

[AB 🍎, S. 32]

7. Das freundliche Pluszeichen oder Tauschen erlaubt!

An einem sonnigen Morgen bekamen die Zahlen die Nachricht, dass sie sich von diesem Tag an immer im Schloss der Zehn versammeln sollten. Dort hatte Arithmetika für sie ein Klassenzimmer eingerichtet.

„Hallo, meine lieben Zahlen. Wollen wir heute wieder ein wenig zusammen rechnen?", fragte die Fee und großer Jubel brach unter den Zahlen aus. „Na, dann los!", rief sie und hob schon ihren Zauberstab in die Luft. Da meldete sich schüchtern eine kleine dunkelgrüne Sechs und wisperte: „Liebe Fee, ich glaube, ich habe etwas herausgefunden." Die Sechs wurde ein wenig rot, denn sie hatte große Angst, dass sie etwas Falsches sagen würde. „Ja, was hast du denn herausgefunden?", wollte die Fee neugierig wissen. „Nun, ich habe gestern Abend noch ein wenig mit meinem Erste-Hilfe-Werkzeug, also mit meinen Zahlenstreifen, experimentiert…", wieder geriet die kleine Sechs ins Stocken und sagte dann plötzlich: „die Zahlen in den Plusaufgaben kann man tauschen. Es ändert nichts am Ergebnis." Erleichtert, nun endlich die Katze aus dem Sack gelassen zu haben, setzte sie sich schnell wieder auf ihren Platz. „Was soll das heißen?", fragte eine längliche Vier. „Das will ich euch gerne erklären", schmunzelte Arithmetika, „aber erst einmal ein großes Lob an die kleine Sechs. Du hast hervorragend gearbeitet! Nehmt euch euer EHW zur Hand und probiert es aus." *(Auch die Zahlen arbeiten gerne mit dem EHW, musst du wissen, weil man damit Matheaufgaben fühlen kann.)*

Und du da vorm Buch machst auch den Versuch: Höre zu und dann mach mit – Rechnen ist ein echter Hit!

Als alle Zahlen ihre Hilfsmittel vor sich liegen hatten, begann die Fee. „Das Pluszeichen, müsst ihr wissen, ist ein sehr freundliches Rechenzeichen. Es erlaubt den Zahlen, ihren Platz frei zu wählen. Die Zahlen können selbst entscheiden, ob sie rechts oder links vom Plus stehen möchten. Dem Pluszeichen ist das ganz egal, denn was hinter dem ‚ist gleich' steht, bleibt trotzdem dasselbe. Ich gebe euch nun die Aufgabe ‚vier plus zwei'." „Ist gleich sechs!", riefen die Zahlen wie aus einem Munde. „Ja, das stimmt. Aber was ist nun zwei plus vier?" Etliche Zahlen dachten laut nach und nach kurzer Zeit antwortete eine kugelige Acht: „Zwei plus vier ist auch sechs. Wenn ich mir nämlich noch mal einen Zweier und einen Vierer nehme, sehe ich, dass auch wieder ein Sechser darunter passt." Die Fee nickte zufrieden. „Seht ihr, das habt ihr doch alle gleich verstanden." „Das muss ich mir merken", sagte eine zierliche Fünf verblüfft. „Ihr habt in dieser Plusaufgabe diese beiden Zahlen und ihr Ergebnis wird immer sechs bleiben. Darum kann man zu jeder Plusaufgabe auch eine so genannte ‚Tauschaufgabe' schreiben, und das bedeutet nichts anderes, als dass die beiden Zahlen ihren Platz wechseln oder eben tauschen", und mit diesen Worten beendete die Zahlenfee den Unterricht.

[Tafelbild / Folie]

Wir schließen jetzt für einen Moment das Buch und du startest selber den Versuch. Lege, wenn du magst, immer zuerst dein EHW dazu.

[AB 🌙, S. 33]

8. Viele Wege führen zum Ziel oder Wie man Zahlen zerlegt

An einem regnerischen und stürmischen Herbstnachmittag hatten sich eine tintenblaue Neun und eine rabenschwarze Sieben zum Spielen verabredet. „Mir machen die Tauschaufgaben immer solchen Spaß", fand die Neun, „hast du Lust, ein anderes Spiel damit zu machen?" „Wenn es lustig ist", erwiderte die Sieben etwas mürrisch, denn eigentlich wollte sie lieber Pfützenspringen spielen. „Ich denke schon, dass es Spaß machen wird. Wir brauchen dazu unser EHW und natürlich Stift und Papier. Und dann habe ich schon mal ein paar Zahlen auf kleine Karten geschrieben, siehst du?", die Neun war ganz aufgeregt, denn sie fand, dass sie ein wirklich tolles Spiel erfunden hatte.

Auch ihr könnt mit diesem Spiel zu zweit weiter üben. Dazu braucht ihr einen Mitspieler, Zahlenstreifen, Stifte und Papier sowie kleine Notizzettel.

Und so geht's: Schreibt die Zahlen von null bis zehn auf die Notizzettel und dreht sie um. Nun deckt einer von euch einen Zettel auf und nennt die Zahl darauf. Wir nehmen mal an, es ist eine Fünf. Ihr versucht dann, alle möglichen Plusaufgaben zu finden, deren Ergebnis auch fünf ist. Schreibt diese in euer Heft. Gewinner ist, wer die meisten Aufgaben gefunden hat.

Dieses Spiel solltet ihr oft üben. Denn es ist wichtig, Zahlen zerlegen zu können.

Und du vor dem Buch kannst nach dem Spiel das Arbeitsblatt ausfüllen.

[AB, S. 34]; [Tafelbild / Folie]

9. Auf zur Zehn oder Die Zehnerfreunde

Wieder einmal versammelten sich alle Bewohner von Zahlia um zehn Uhr im Klassenzimmer, um Rechnen zu lernen. Die Fee Arithmetika war zwar noch nicht zu sehen, doch alle waren ganz gespannt und neugierig, was sie wohl heute lernen würden. „Die Menschen können wirklich froh sein, dass sie uns entdeckt haben", bemerkte eine orange Zehn. „Wie sollten sie sonst ihre Sachen zählen oder im Obstgeschäft sagen, wie viele Äpfel sie kaufen möchten? Sie brauchen nur eine von uns Zahlen zu nennen und schon weiß jeder, wie viel gemeint ist." „Ja, du hast ganz recht. Wir Zahlen sind wirklich nett zu den Menschen", stimmten die anderen ihr zu. Da ertönte plötzlich ein Summen und Brummen und aus einer silbernen Rauchwolke erschien Arithmetika. „Hui, da hab ich doch fast verschlafen! Aber jetzt bin ich hier und wünsche euch allen einen guten Morgen!" Sie schüttelte ihr zersaustes Haar. „Wie ich sehe, habt ihr schon alle an euren Schreibtischen Platz genommen. Das ist fein. Dann lasst uns gleich beginnen. Heute wollen wir uns ansehen, welche Zahlen zusammen Zehn ergeben, denn das sind die Zehnerfreunde. Da gibt es eine Menge Möglichkeiten. So, meine lieben Zahlen. Jetzt geht's los. Legt immer zwei Streifen unter einen Zehnerstreifen, sodass beide dieselbe Länge haben. Schreibt die Rechnungen dann in eure Hefte und denkt auch an die Tauschaufgabe." „Aber wir haben doch noch gar keine Hefte", warf eine dünne Vier ein. „Ach so. Das haben wir gleich", sprach die Fee und zückte ihren Zauberstab.

„Wefte, mefte, kefte! Ich brauch karierte Hefte. Dort sollen dann die Zahlen rein, ganz säuberlich und fein. Wefte, mefte, kefte!"

Und schon flogen von überall her Hefte wie kleine Vögel auf die Tische der Zahlen. Sie flatterten noch einige Male mit ihren Seiten, als seien es Vogelflügel, und dann blieben sie ruhig liegen. „Danke, liebe Fee", riefen die Zahlen im Chor. „Bitte sehr, war gar nicht schwer. Aber nun fangt an. Ich bin gespannt, wie viele Rechenaufgaben ihr zusammenstellt. Nachher sehen wir uns gemeinsam an, welche Aufgaben ihr gefunden habt. Merkt euch diese Plusaufgaben gut! Und noch etwas lege ich euch ans Herz: Denkt immer daran, dass die Zehn etwas Besonderes ist, weil sie die erste Zehnerzahl ist, also die erste und damit auch die kleinste zweistellige Zahl."

Du da vor dem Buch musst nun ein paar kleine Vorbereitungen treffen: Stelle dein EHW bereit und schreibe die Aufgaben in dein Heft. Bearbeite dann die Arbeitsblätter.

[AB, S. 35f.; magnetische Aufgabenkarten für die Tafel]

10. Das kleine 1 + 1 bis 10 oder Kleine Rechnungen mit großer Wirkung

An einem stürmischen und regnerischen Tag trafen sich wieder alle Zahlenschüler im Klassenzimmer des Zehnerschlosses. Pünktlich um acht Uhr nahmen sie im großen Arbeitszimmer an ihren Schreibtischen Platz. „Hallo, liebe Zahlen! Schön, dass ihr alle gesund und munter seid", begrüßte die Fee sie fröhlich. „Heute möchte ich mit euch noch andere Plusaufgaben lösen. Diese Aufgaben sind sehr wichtig für die Menschen, denn wenn sie diese auswendig wissen, brauchen sie später bei schwierigeren Aufgaben gar nicht mehr nachzudenken – sie wissen die Lösungen einfach." „Dann wollen wir alles tun, um es den Menschen leichter zu machen", versprachen sogleich alle Zahlen einstimmig. „Okay!", die Fee sprang von ihrem Pult, auf

dem sie gesessen hatte, „was wir heute üben werden, nennen wir das ‚kleine 1 + 1 bis 10'. Das sind alle Plusaufgaben mit den Zahlen von null bis zehn, die zusammengerechnet höchstens zehn ergeben. Also nicht mehr als zehn, aber manchmal auch weniger. Das hört sich vielleicht kompliziert an, doch schaut mal her." Mit diesen Worten klatschte sie in die Hände und vor jedem Schüler lag ein Arbeitsblatt.

Ein Raunen ging durch die Bankreihen der Zahlen, denn auf den ersten Blick waren sie etwas schockiert von der Anzahl der Aufgaben. „Keine Bange", sagte die Fee, die ihre Bestürzung bemerkt hatte, „wir üben diese Aufgaben gemeinsam."

Und du da vorm Buch machst jetzt auch den Versuch: Es geht nun darum, alle Plusaufgaben zu finden und zu bilden, die du rechnen kannst, ohne am Zahlenstrahl über die Zehn zu gelangen (und das nur mit Einerzahlen). Beginne zunächst mit allen Aufgaben, bei denen du +0 rechnest, und mache dann weiter mit +1, +2, +3, +4, +5, +6, +7, +8, +9, +10.

[AB ☁, S. 37 – dann zur Kontrolle Tafelbild / Folie]

Fällt dir etwas auf?

11. Das Minuszeichen zieht ein oder Wie gewonnen, so zerronnen

In der nächsten Unterrichtsstunde begrüßte die Fee ihre Zahlenschüler mit folgenden Worten: „Hallo miteinander! Heute möchte ich euch wieder etwas zeigen, aber zuerst muss ich eine Kleinigkeit essen." Mit diesen Worten holte sie sechs Erdbeeren aus ihrem Rucksack und legte sie fein säuberlich in einer Reihe auf ihr Pult. „Sechs süße Erdbeeren", sagte sie und steckte sich nacheinander zuerst eine und dann noch eine zweite in den Mund. „Wie viele Erdbeeren sind jetzt noch übrig?", fragte sie die verwunderten Zahlenschüler, nachdem sie hinuntergeschluckt hatte. *Oder weißt du es?*

„Auf jeden Fall zu wenig für uns alle", murrte eine orange Zehn, aber eine dunkelgrüne Sechs rief laut: „Du hast noch vier, weil du zwei gegessen hast!" Arithmetika nickte zufrieden und zog einen kleinen Balken aus ihrem Mantelumhang. „Das hier ist das Minuszeichen. Es ist der Bruder vom lieben Pluszeichen und bedeutet ‚weniger', ‚wegnehmen', ‚aufessen' oder ‚kleiner werden'. Seht her, so sieht das auf dem Zahlenstrahl aus: Man hüpft nach links." Flink malte sie einen Zahlenstrahl auf den Boden und zeigte den Zahlen das Minushüpfen. „Ich stehe auf der Fünf und hüpfe eins nach links. Wo stehe ich? Auf der Vier! Und jetzt mache ich es vor, liebe Zahlen. Ich hüpfe und ihr sagt mir die Aufgabe."

Du da vorm Buch mach bitte mit, denn das macht fit!

[Tafelbild / Folie]

„Das ist nicht allzu schwierig", bemerkte eine hellorange Zehn, nachdem sie ein paar Mal gehüpft war, „wenn man etwas hinzuzählen kann, dann kann man es eben auch wegnehmen." „So ist es, liebe Zehn. Aber jetzt geht wieder auf eure Plätze und lasst es uns gemeinsam üben. Hier habe ich kleine Kieselsteine aus dem Fluss. Sucht euch einen Partner und los geht's mit dem Wegnehmen. Das Spiel geht so: Zählt eure Kiesel und legt die Zahlenleiste darunter. Euer Partner nimmt euch nun einige Steine weg. Sprecht darüber, wie viele weggenommen wurden und wie viele noch übrig sind. Das ist das Minusrechnen!"

Und du da vorm Buch startest auch den Versuch. Und nachher gebe ich dir noch Blätter, so ist es doch viel netter!

[AB ☺, S. 38]

12. Das kleine 1 – 1 bis 10 wird einstudiert oder Hergeben leicht gemacht

Aufs Neue waren die Zahlen voller Erwartung, was die Fee ihnen heute beibringen würde. Diese saß bereits bequem im Schneidersitz auf ihrem Lehrerpult, als die Zahlen um 8 Uhr im Klassenzimmer eintrafen. „Hallo, meine Lieben! Seid ihr alle vollzählig? Gut, dann können wir ja starten. Ich möchte euch heute das so genannte ‚kleine 1 – 1 bis 10' vorstellen. Auch das sind einfache, aber sehr wichtige Rechenaufgaben, die ihr alle im Schlaf beherrschen solltet. Ähnlich wie beim ‚kleinen 1 + 1 bis 10', spielen hier die Zahlen von null bis zehn mit. Es geht wieder um alle Rechenaufgaben, die ihr mit den Zahlen von null bis zehn rechnen könnt. Nur diesmal sind es Minusaufgaben. Aber erst brauchen wir eine Tafel."

Arithmetika klatschte dreimal laut in die Hände und sang einen kleinen Zauberreim:

„Ich brauch eine Tafel, nicht so viel Geschwafel. Auch Kreide und Schwamm, dann fang ich gleich an!"

Und Schwuppdiwupp stand hinter ihr eine schöne grüne Tafel mit Kreide und Schwamm. „Seht her, ihr Lieben. Auf euren Arbeitsblättern steht alles, was ihr zum Üben braucht. Außerdem könnt ihr auch alle Aufgaben am Zahlenstrahl kontrollieren. Es geht los!"

[AB 📄, S. 39]

Du da vor dem Buch: Fällt dir etwas auf?

[Tafelbild/Folie]

13. Drei Zahlen und so viele Aufgaben oder Alles über Umkehraufgaben 🌼

„Hallo und guten Morgen!", rief Arithmetika den Zahlen zu, als sie, diesmal durch die Tür, das Klassenzimmer betrat. „Ich hoffe, es geht euch allen gut! Habt ihr fleißig geübt? Ihr wisst ja, wiederholen ist wichtig", sie schaute sich um und sah viele Zahlen zustimmend nicken. „Heute will ich euch zeigen, wie man eine Aufgabe umkehrt. Ja, ihr habt richtig gehört. Man kann nämlich aus jeder Plusaufgabe eine Minusaufgabe machen und aus jeder Minusaufgabe eine Plusaufgabe. Das bedeutet ‚umkehren'. Schaut einmal her und hört euch die Geschichte an:

[Tafelbild / Folie (1); Ergebnis eintragen]

Drei Mädchen und vier Jungen spielen zusammen auf der Wiese. *Wie viele Kinder spielen gemeinsam auf der Wiese?* Richtig, es sind sieben. Doch dann müssen die vier Jungen zum Mittagessen nach Hause. Und wer bleibt übrig? Richtig – die drei Mädchen.

[Tafelbild / Folie (2); Ergebnis eintragen]

Diese Zahlen gehören zusammen wie eine Mannschaft.

[Tafelbild / Folie (3)]

Und jetzt diese Geschichte: Ich spiele mit acht Murmeln. Zwei Murmeln schnipse ich ins Ziel. Bei den restlichen schaffe ich das nicht. *Wie viele rollen nicht ins Ziel?*

[Tafelbild / Folie (4); Ergebnis eintragen]

Genau – sechs Murmeln kullern nicht ins Ziel. *Mit wie vielen Murmeln spiele ich überhaupt, wenn sechs daneben und zwei ins Ziel gehen?*

[Tafelbild / Folie (5); Ergebnis eintragen]

Und für diese Mannschaft sieht das Bild so aus:

[Tafelbild / Folie (6)]

„Keine Bange! Wir üben das noch. Am besten springen wir gleich auf dem Zahlenstahl. Und dann gebe ich euch ein Arbeitsblatt, auf dem ihr üben könnt. Frisch ans Werk!"

Und nun übst du einfach mit, dann bist du im Rechnen bald fit.

[AB 🌼, S. 40]

14. Mein rechter, rechter Platz ist frei oder Die Platzhalteraufgaben kommen ♥

Auch Zahlen müssen fünf Tage in der Woche zur Schule gehen und einer dieser Tage war heute. Als die Fee das Klassenzimmer betrat, trug sie eine kleine grüne Schachtel unter dem Arm, die sie auf dem Lehrerpult abstellte. „Guten Morgen, meine Lieben! Schön, dass ihr da seid. Ich habe euch heute etwas mitgebracht", sie deutete mit dem rechten Zeigefinger auf die kleine Schachtel, „das ist Platzi, auch ‚Platzhalter' genannt. Mit ihm werden wir heute neue Rechenaufgaben lösen." Verwundert besahen sich die Zahlen den Karton. „Ja, es gibt doch tatsächlich Aufgaben, in denen eine Zahl fehlt", fuhr Arithmetika unbeirrt fort, „und Platzi hält dieser Zahl gewissermaßen den Platz frei, daher auch sein Name. Platzi wartet auf eine bestimmte Zahl, damit die Aufgabe richtig und die Zahlenmannschaft wieder komplett ist. Aber hört euch erst mal eine kleine Geschichte an: Neulich habe ich mir Gäste eingeladen und wollte für jeden eine Pizza backen. Vier Pizzen hatte ich schon fertig, aber es sollten sieben Gäste kommen. Ich überlegte, wie viele Pizzen ich noch backen muss."

[Tafelbild (1)]

„So, und nun nehmt bitte einen 4er- und einen 7er-Zahlenstreifen. Legt jetzt den 4er- über den 7er-Streifen. Ihr könnt jetzt abzählen, welche Zahl aus der Mannschaft hier fehlt."

[Tafelbild / Folie (2)]

Du da vor dem Buch: Mach bitte mit, das wäre der Hit.

[AB ♥, S. 41]

15. Platzis zweiter Tag oder Platzhalteraufgaben bei Minus-Rechnungen 🍬

Die Zahlen wunderten sich nicht wenig, als Arithmetika am nächsten Schultag wieder Platzi unter dem Arm trug. „Ja habt ihr denn vergessen, dass es auch noch Minusaufgaben gibt? Auch da drängelt sich Platzi gerne rein und das will ich euch heute zeigen. Zuvor möchte ich euch eine kleine Geschichte erzählen. Seid ihr bereit? Okay, dann kann es ja losgehen! Ich habe sechs Bonbons und esse einige auf, sodass ich am Ende nur noch vier übrig habe. Wie gefällt euch das?", fragte Arithmetika in die Runde. „Also ich hätte sofort alle sechs gegessen", rief eine dicke Drei laut ins Klassenzimmer, woraufhin alle lachen mussten. „Du bist ein ganz schönes Schleckermaul", erwiderte die Fee, „aber lasst uns ruhig bei diesem Beispiel bleiben." Und flugs zog sie ihren Zauberstab aus der rechten Hosentasche und streckte ihn in die Höhe: *„Zong, mong, dong, dong*

– ich will Bonbons! Bunt und fein und nicht zu klein. So sollen Bonbons auf allen Tischen sein!" Und schon prasselten hunderte von Bonbons von der Zimmerdecke auf die Zahlen herab, die sich ganz erschreckt in Deckung bringen mussten, um nicht getroffen zu werden. „Ups!", stieß die Fee voller Erstaunen hervor, „dass Bonbons immer so schwungvoll erscheinen müssen!"

Und du da vor dem Buch: Auf dich regnen die Bonbons zwar nicht nieder, doch hol dir auch welche und komm damit wieder. Wir rechnen heut mit Süßigkeiten, das wird bestimmt deine Augen weiten.

„Ich hoffe, niemand ist ernsthaft verletzt?", erkundigte sich Arithmetika und sah sich besorgt um, bevor sie fortfuhr: „Jetzt legt doch mal sechs Bonbons fein säuberlich in eine Reihe und deckt mit einem Blatt Papier vier Bonbons zu. Jetzt könnt ihr den Unterschied sehen".

[Tafelbild / Folie (1)]

„Ihr habt also nur zwei gegessen. Platzi hält den Platz frei für die Zwei. Die Bonbon-Mannschaft ist also wieder komplett." Da schaute die hellgrüne Drei ganz verlegen und versuchte fieberhaft einen großen Klumpen hinunterzuschlucken.

Du hast hoffentlich noch nicht genascht! Schau dir Arithmetikas Erklärung an – dann darfst du natürlich auch etwas probieren.

[AB ⌘, S. 42 – Stunde evtl. hier beenden]

„Wenn keiner mehr Fragen zu Platzis erstem Fall hat, dann können wir ja weitermachen, denn bei den Minusaufgaben gibt es noch einen anderen Fall. Dazu zuerst wieder eine kleine Rechengeschichte: Ihr verschenkt zwei Murmeln an einen lieben Freund und habt dann noch fünf für euch selber übrig. Wie viele Murmeln hattet ihr vorher? Das habt ihr ganz vergessen. So würde auf jeden Fall eure Rechenaufgabe dazu aussehen:

[Tafelbild / Folie (2)]

Jetzt überlegen wir mal alle gemeinsam: Ihr hattet Murmeln und habt davon einige hergegeben, aber ihr behaltet noch welche. Hattet ihr vorher dann nicht eine größere Menge Murmeln? Seht doch in die Hand von eurem Freund, er hat zwei Murmeln und ihr haltet noch fünf in eurer Hand. Jetzt seht ihr doch genau, wie viele ihr vorher hattet. Und jetzt üben wir, damit das, was wir eben alles herausgefunden haben, ein feines Zimmer in unserem Kopf bekommt."

[AB ⌘, S. 43]

Und du vor dem Buch, machst auch den Versuch. Hier kommt dein Blatt – mach Platzi drauf satt.

16. Zahlia wird größer oder Bei Zehn ist noch lange nicht Schluss

Einige Tage später marschierten die Zahlen ins Klassenzimmer, um weitere Aufgaben von Arithmetika gestellt zu bekommen. Sie fanden die Fee an ihrem Schreibtisch, auf dem unzählige große Papierrollen verstreut lagen, von denen einige sogar schon auf den Boden gefallen waren. Arithmetika schien ganz vertieft in ihre Arbeit zu sein, denn sie bemerkte die Zahlen überhaupt nicht. Unablässig zeichnete sie mal mit einem Lineal, mal mit einer Art Dreieck Linien auf ein riesiges Blatt Papier und murmelte dabei vor sich hin. „Ja, so müsste es gehen. Hier noch ... nein, das ist zu schmal..." Endlich räusperte sich eine strahlendblaue Neun und sprach die Fee an: „Ähm, guten Tag, Arithmetika! Wir dachten, du würdest uns heute unterrichten, aber wenn wir dich bei einer wichtigen Arbeit stören, kommen wir später wieder." Die Fee blickte auf und jetzt konnten die Zahlen sehen, dass sie ganz rote Wangen hatte vom vielen Nachdenken. „Oh, da seid ihr ja schon! Ich habe euch gar nicht kommen hören. Aber bleibt ruhig hier, ich habe euch viel zu berichten." Sie strich sich ein paar Haarsträhnen aus der Stirn, schob eine große Papierrolle vom Schreibtisch und setzte sich auf den freigeräumten Platz. „Wir müssen anbauen", begann sie ohne Umschweife. „Zahlia wird größer werden. Die Menschen brauchen mehr Zahlen und für die müssen wir Häuser und Wohnungen schaffen. Mit der Planung habe ich schon angefangen, wie ihr sehen könnt." Sie deutete auf den Papierberg. „Warum zau- berst du denn keine neuen Häuser?", wollte eine bananengelbe Fünf sofort wissen *(die Fünf möchte immer alles schnell und praktisch erledigen, musst du wissen).* „Weil mein Zauberstab nur das kann, was ich ihm beibringe", antwortete die Fee und seufzte ein wenig. „Aber der Reihe nach. Dass die Zahlen nicht bei der Zehn enden, habe ich schon oft erwähnt. Die Zehn ist nur etwas Besonderes, weil sie die erste Zahl ist, die zwei Stellen hat. Aus allen Zahlen von null bis neun können wir weitere Zahlen zusammenstellen." Die Fee ließ ihren Zauberstab durch die Luft sausen und schon erschien ein Zahlenstrahl auf der Tafel.

[Tafelbild / Folie (1)]

„Hier ist ein Zahlenstrahl, den ihr ja alle schon kennt", erklärte sie den staunenden Zahlen. „Wie ihr euch ordentlich in einer Reihe aufstellen müsst, haben wir bereits vor einiger Zeit geübt. Fangt doch gleich mal an." Mit ihrem Zauberstab deutete sie der Null an, sich ganz links an den Zahlenstrahl zu stellen. „Unsere liebe Null bildet wie immer den Anfang. Wie es nun weitergeht, wisst ihr selber." Eifrig reihte sich eine Zahl an die andere, bis sie bei der Zehn angelangt waren.

„Jetzt kommt die liebe Null ins Spiel. Sie steht rechts neben der eins. Das bedeutet nichts anderes, als dass danach wieder eine Zahl rückt. Die Zehn sagt prak-

tisch: ‚Mein rechter, rechter Platz ist frei, ich wünsche mir die nächste Zahl herbei'." Eine große Sieben sah Arithmetika hilflos an und meldete sich zu Wort: „Aber das verstehe ich nicht! Ist es egal, wer von uns sich an die Stelle der Null stellt?" „Nein", sagte die Fee und strich der ratlosen Sieben sanft über den Kopf, „das hat natürlich wieder eine ganz bestimmte Reihenfolge, die ihr aber alle bereits kennt. Aber vorweg muss ich euch noch etwas erklären: Alle Zahlen, die zwei Stellen haben, also für die man zwei Zahlen schreiben muss, heißen ‚zweistellig'. Unsere wackere Zehn ist die erste und kleinste von ihnen, daher ist sie auch etwas Besonderes – aber zum Glück ist sie sehr bescheiden!" Die Zehn wurde ganz rot, sie hatte immer Angst, eine andere Zahl könnte neidisch auf sie werden, wenn es immer hieß, sie sei etwas Besonderes. Schnell fügte die Fee hinzu: „Ihr wisst, dass ihr alle einmalig und etwas ganz Besonderes seid." Da hob plötzlich eine kleine schneeweiße Eins ihre Hand und fragte zaghaft: „Liebe Fee, kann es vielleicht sein, dass ich an die Stelle der Null muss, denn so würde es die Reihenfolge vorschreiben. Ich komme immer gleich nach der Null."

„Das nenne ich gut kombiniert und mitgedacht!", lobte die Fee und lächelte. „Genau so ist es! Und jetzt..." Eine blasslila Vier unterbrach die Fee: „Heißen dann alle Zahlen die sozusagen alleine stehen Einerzahlen?" Da riss die Fee vor Begeisterung ihren Zauberstab in die Höhe, wirbelte ihn dreimal um ihren eigenen Kopf und im nächsten Augenblick fiel ein Konfettiregen auf die erstaunten Zahlen herab. Arithmetika rief vor lauter Freude immerzu: „Ihr seid spitze! Ihr seid einfach spitze!" Glücklich sangen die Zahlen ein Lied, denn mit Musik geht alles besser:

[Melodie: „Zehn kleine Negerlein"]

„Ein nettes Zehnerlein wollt nicht alleine sein, da holt es rasch eine Eins herbei und fertig war die Elf. Ein nettes Zehnerlein, das rief zwei Freunde an, die kamen gleich herbeigeeilt und fertig war die Zwölf. ..."
Du da vor dem Buch: Versuch dich auch im Reimen, das würde die Zehn sehr freuen.

Als alle Zahlen am Zahlenstrahl ihren richtigen Platz eingenommen hatten, wollte eine dunkelgrüne Sechs aber noch etwas wissen: „Liebe Fee, wie heißen wir denn nun alle eigentlich? Wir müssen doch jetzt neue Namen bekommen." Die Fee nickte zufrieden und antwortete: „Oh ja, das ist wohl wahr. Bei eurer Namensgebung wollen wir eine Sache ganz besonders beachten, nämlich die Höflichkeit. Daher nennen wir die kleinen Einerzahlen, die ganz rechts stehen, zuerst. Wir sprechen von der *Drei-zehn* und von der *Neun-zehn*. Nur die Elf und die Zwölf bilden eine Ausnahme, aber das kann man sich leicht merken."

„Das nenn ich wirklich gut erzogen, den Kleineren zuerst zu nennen", flüsterte eine hellgrüne Drei ihrer Nachbarin zu, die zustimmend nickte. „Ja, ja, unsere Fee denkt wirklich an alles."

[Tafelbild / Folie (2)]

Du da vor dem Buch – es ist Zeit zum Üben.

[AB, S. 44]

17. Drauf und dran oder Erst und dann

In der nächsten Unterrichtsstunde warteten schon alle gespannt auf neue Rechentricks. Pünktlich um acht Uhr betrat die Fee das große Klassenzimmer. „Hallo, alle miteinander! Wie geht es euch heute? Seid ihr bereit für ein paar neue Rechentricks?", rief sie ihren Schülern aufmunternd zu und bekam ein lautes, fröhliches „Jaaa!" zur Antwort. „Okay, dann kann es ja losgehen. Heute erkläre ich euch, wie man über die Zehn hopsen kann. So, und nun seht euch bitte den Zahlenstrahl an", fuhr Arithmetika fort.

Die Aufgabe lautet: 9 + 3 =

[Tafelbild / Folie (1) und (2)]

Du vor dem Buch: Schaue auf den Strahl und nenne die richtige Zahl. Alle Zahlen warten und wollen vorher nicht starten.

„Hört gut zu, denn ich nehme stark an, dass den meisten von euch dieser Rechenweg gut gefallen wird. Eure Startzahl ist also die Neun. Ich markiere diese Zahl auf dem Zahlenstrahl. Jetzt gehen wir zur Zehn vor. Überprüft, wie viele Schritte ihr dafür gehen müsst." Blitzschnell reckte eine holzbraune Acht ihren Arm in die Höhe und Arithmetika nickte ihr zu. „Es ist genau einer. Man muss einen Schritt gehen bis zur Zehn." „Ja, das ist richtig. Aber die Aufgabe heißt nicht 9 + 1, sondern 9 + 3. Wie viele Schritte fehlen noch, damit es insgesamt drei Schritte sind?" Viele Finger schossen in die Höhe und die Fee hatte Mühe, sich zu entscheiden, wen sie drannehmen sollte. Sie entschied sich aber für eine blütenweiße Eins, die immer sehr schüchtern war und sich selten meldete. Leise antwortete die Eins, dass man noch zwei Schritte gehen müsse und dann bei der Zwölf lande. Dafür bekam sie von der Fee ein dickes Lob. „Wieso denn noch zwei Schritte? Woher weiß sie das?", erkundigte sich eine käsegelbe Fünf. „Vielleicht möchtest du es denjenigen erklären, die es noch nicht ganz verstanden haben", forderte Arithmetika die Eins auf. „Aber gerne. Es ist nämlich so, dass man die Zahl Drei aufteilen muss. Einmal nimmt man sich so viel von ihr, bis man bei der Zehn anlangt und dann gibt man zur Zehn noch den Rest, der von der Drei übrig geblieben ist. Damit hat man die Drei aufgeteilt, denn 1+2 ist gleich 3", erklärte die Eins stolz. „Genau so ist es!", bestätigte Arithmetika.

Auch wenn es dir manchmal mühsam erscheint: Selber schreiben ist immer besser, als nur ansehen oder lesen.

18

*Auch die **Zehnerfreunde** (das sind die Zahlen, die zusammen einen vollen Zehner ergeben) und das **Zahlen zerlegen** helfen dir hier. Merke dir: Ein voller Zehner bedeutet immer, dass du keinen (sprich null) Einer hast! Weißt du es noch? Kannst du einen Zehnerfreund nennen?*

Jetzt war es Zeit für eine kleine Pause. Die Zahlen aßen Obst, belegte Brote und tranken Tee und Wasser. Viele von ihnen spielten draußen auf der Wiese Nachlaufen oder Verstecken, andere setzten sich auf eine Bank und entspannten sich einfach. Nach einer Weile ertönte eine lustige Melodie zum Zeichen, dass die Pause nun beendet war und sich alle wieder auf ihre Plätze im großen Klassenzimmer begeben mussten. „Habt ihr euch erholt? Dann lasst uns jetzt ans Üben gehen. Ich gebe euch nun ein Arbeitsblatt. Aber bitte, es kommt nicht darauf an, wer als Erster fertig ist, denn ich möchte, dass ihr eure Ergebnisse kontrolliert, das bedeutet, dass ihr sie euch noch einmal anseht und überlegt, ob das Ergebnis stimmt. Falls ihr euch nicht sicher seid, rechnet ihr bitte noch einmal nach. Ihr löst diese Aufgaben immer in zwei Schritten, wie wir es geübt haben. Und sprecht ruhig leise dazu: Erst … und dann … Wichtig ist auch, dass ihr euch die zerlegte Zahl kurz merkt. Das nennt man auch ‚Zwischenergebnis'. Alles klar?"

Die Zahlen nickten und Arithmetika verteilte die Blätter.

Du da vor dem Buch: Nimm Stift und Papier und helfe mir. Hier ist ein Arbeitsblatt für dich. Hast du es fertig, freut Arithmetika sich.

[AB, S. 45]

18. Wir knacken den Zehner oder Die Zehnerunterschreitung in zwei Schritten ☆

Und wieder war ein neuer Tag im Lande Zahlia angebrochen und die gelehrigen Zahlen machten sich für die nächste Unterrichtsstunde bereit. Sie kontrollierten ihre Bleistifte und Buntstifte und besorgten sich neue Radiergummis.

Als die fröhliche Melodie ertönte, wussten alle Zahlen, dass nun der Unterricht beginnen konnte und Ruhe herrschen musste. Da kam auch schon ihre Lehrerin, die Fee Arithmetika, und stellte sich vor die Klasse. „Einen wunderschönen guten Morgen, euch allen!", begrüßte sie ihre Schüler. Die Zahlen antworteten im Chor: „Guten Morgen auch dir, liebe Fee!" Die Fee begab sich hinter ihr Pult und zog aus ihrer linken Hosentasche eine kleine braune Nuss und legte sie auf ihren Schreibtisch. Dann holte sie aus ihrer rechten Tasche eine Nusszange und mit den Worten: „Heute, meine lieben Zahlenschüler, knacken wir die Zehn!", knackte sie krachend die Nuss mit der Zange auf und aß die Frucht genüsslich auf. Die Zehner-Zahlen rutschten derweil unruhig auf ihren Bänken hin und her. Als Arithmetika dies bemerkte, sagte sie kauend: „Oh, Verzeihung, meine lieben Zehnen! Ich meine natürlich nicht euch. Wir knacken die Zehnen nur auf unserem Rechenpapier." Die Zehnen atmeten erleichtert auf. „Aber zuerst müssen wir hier mal frische Luft reinlassen – dann können wir alle besser nachdenken", sprach die Fee und wedelte einmal gekonnt mit dem Zauberstab in Richtung der Fenster, die sich daraufhin alle leise öffneten. Die Zahlen schnupperten die frische Morgenluft. Einige reckten und streckten ihre Arme und Beine, gerade so, als seien sie eben erst aufgewacht. „Ja, so ist es recht! Macht euch locker, denn oft vergisst man über die viele Kopfarbeit die armen Muskeln", sagte die Fee und begann auch mit ein wenig Gymnastik.

Du da vorm Buch – welche Gymnastik macht dir Spaß? Erlaubt ist, was gefällt: Ob du einen Ball dribbelst, Kniebeugen machst oder Rumpfbeugen – Hauptsache, es macht dir Freude und du streckst und reckst dich dabei. Trotzdem musst du immer darauf achten, dass du gerade und locker auf deinem Stuhl sitzt und dich nicht verkrampfst. Denn mit verkrampften Muskeln kann keiner mehr gescheit denken.

„So, das hat gut getan! Jetzt lasst uns beginnen. Heute will ich euch zeigen, wie man zweistellige Zahlen voneinander abzieht. Hier könnt ihr die Wörter ‚erst und dann' verwenden. Also, aufgepasst!"

Sie drehte sich zur Tafel um und ließ ihren Zauberstab dreimal in der Luft kreisen. Dann war ein leises „Puff" zu hören und auf der Tafel war Folgendes zu lesen:

[Tafelbild/ Folie (1)]

Erst und dann – trau dich ran! Ob Minus oder Plus, es macht dir keinen Verdruss!

„Diesmal gehen wir erst zurück zur Zehn und dann noch die restlichen Schritte, bis wir alles abgezogen haben, wie es die Aufgabe verlangt. Seht euch meinen Zahlenstrahl an. Wir wollen nun die Aufgabe 12 – 4 rechnen. Die liebe Zwölf ist unsere Startzahl, von hier hopsen wir zuerst zur Zehn. Wie viele Male müssen wir dann noch springen?" Eine dicke, schwere Neun hob die Hand und gab folgende Antwort: „Ist doch ganz klar: Noch zwei Hopser und ich lande bei der braunen Acht."

Du da vor dem Buch: Hat die Neun recht?

[Tafelbild / Folie (2)]

Arithmetika streckte frohgemut ihren Zauberstab in die Luft und sang folgenden Zauberreim: *„Satt, katt, watt – hier kommt euer Blatt! Da könnt ihr nun drauf üben, doch keiner schielt nach drüben. Traut euch Kinder, habt nur Mut."*

19

So, und du da vorm Buch startest jetzt auch den Versuch. Mach es wie die Zahlen. Und fällt es dir nicht leicht – du weißt ja Bescheid, es liegen auch immer Hilfsmittel für dich bereit.

[AB ☆, S. 46]

19. Das Zahlenfest oder Ab in die Ferien

Als die Zahlen am nächsten Tag das Klassenzimmer betraten, trauten sie ihren Augen nicht: Unzählige bunte Luftballons baumelten von der Decke und Luftschlangen schlängelten sich keck um Tische und Bänke. Auf jedem Tisch stand eine Schüssel mit Zahlenkeksen. Die Fee saß schon vergnügt im Schneidersitz auf ihrem Lehrerpult und zwinkerte den erstaunten Zahlenschülern munter zu. „Ja, da staunt ihr, was? Heute feiern wir ein Fest. Ihr habt nämlich die letzten Monate hart gearbeitet und die Menschen können nun einiges mit euch anfangen. Sie bringen sogar ihren Kindern bei, mit euch umzugehen." Darüber freuten sich die Zahlen ganz besonders, denn die Fee hatte ihnen oft von den Menschenkindern erzählt. „Ihr sollt genau wie die Kinder Ferien haben. In dieser Zeit könnt ihr euch ausruhen und erholen. Aber ihr müsst mir versprechen, dass ihr auch in den Ferien an drei Tagen wenigstens für zehn Minuten übt. Ich habe euch ja schon oft gesagt, dass man Gelerntes immer wieder auffrischen und wiederholen muss, damit man es nicht vergisst und sicherer im Rechnen wird. Aber genug der Worte: Lasst uns die Zahlenkekse essen und feiern!", rief die Zahlenfee Arithmetika und riss vergnügt die Arme in die Höhe.

Und du da vor dem Buch: Feier doch einfach mit, denn ich wette, im Rechnen bist du nun fit.

Und denke stets daran: Rechnen ist keine Zauberei! Mit ein wenig Übung und frohem Mut schaffst du immer alle Aufgaben gut.

[AB ✏, S. 47f.]

Name: _____ Datum: _____

Zahlenstreifen

Die Bewohner von Zahlia (1)

Die Bewohner von Zahlia (2)

Die Bewohner von Zahlia (3)

Name: _____   Datum: _____

Die Zahlen 0 bis 9

Spure die Bewohner von Zahlia nach.

25

Name: _____ Datum: _____

Zahlen ordnen (1)

① Verbinde die Zahlen mit den richtigen Streifen.

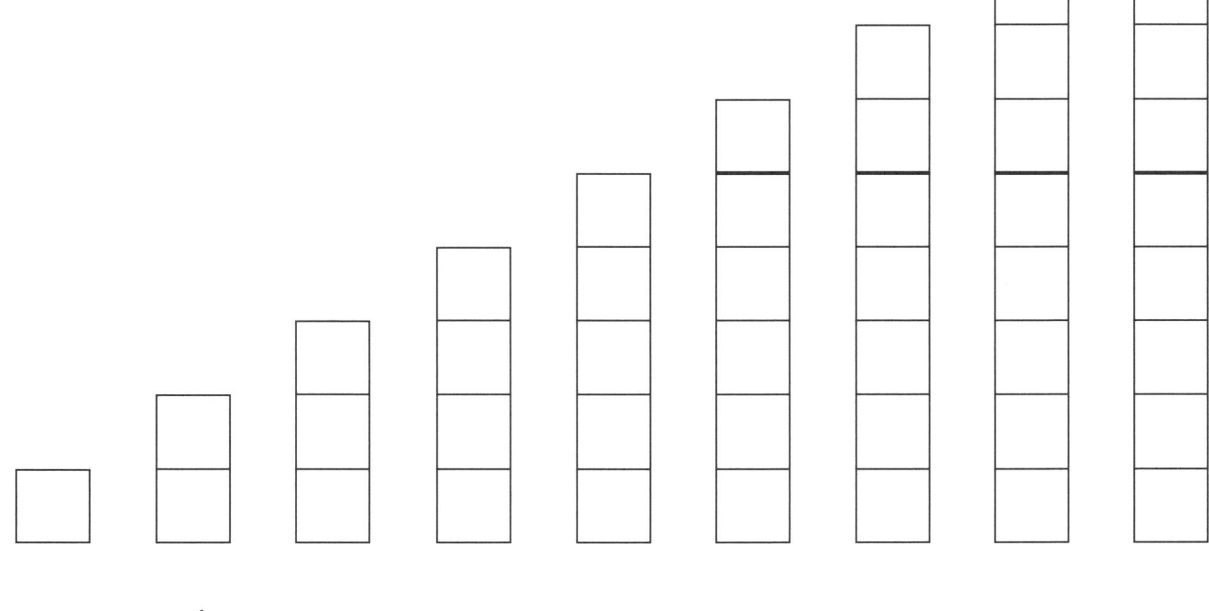

6   1   3   5   2   8   9   7   4

② Färbe die Rechenkästchen.

3
5
1
6
9
0

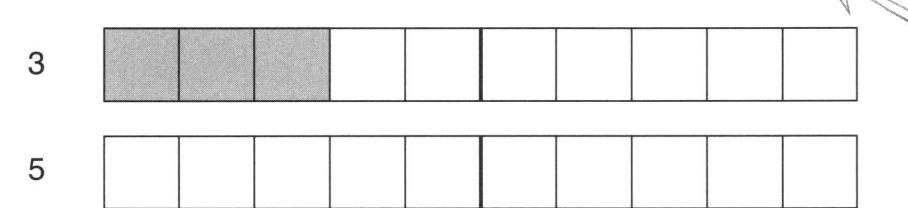

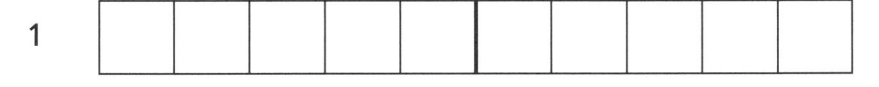

Name: _____ Datum: _____

Zahlen ordnen (2)

Ergänze die fehlenden Zahlen.

Vorgänger und Nachfolger (1)

Ergänze die fehlenden Zahlen.

Name: _____ Datum: _____

Vorgänger und Nachfolger (2)

① Färbe den Vorgänger- und Nachfolgerturm ein.

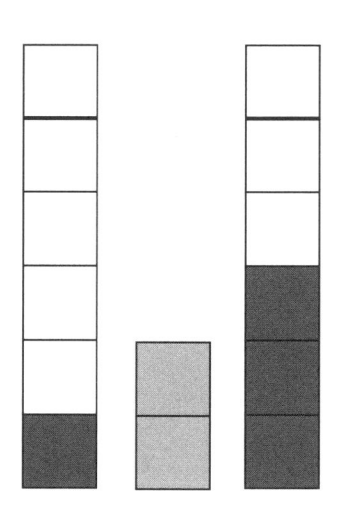

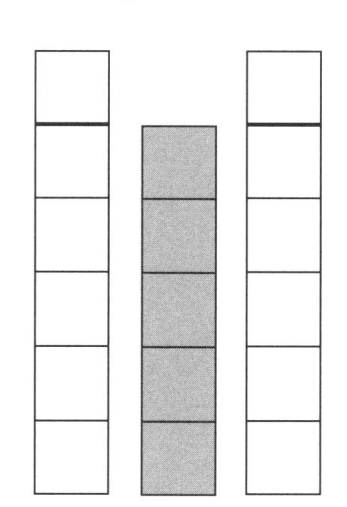

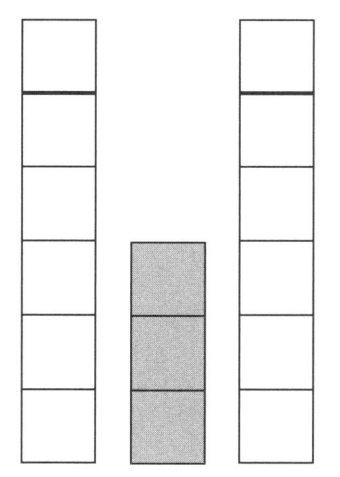

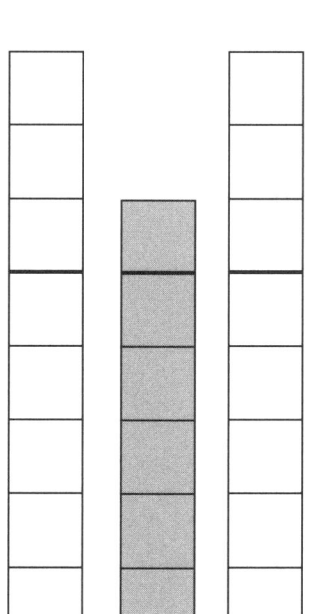

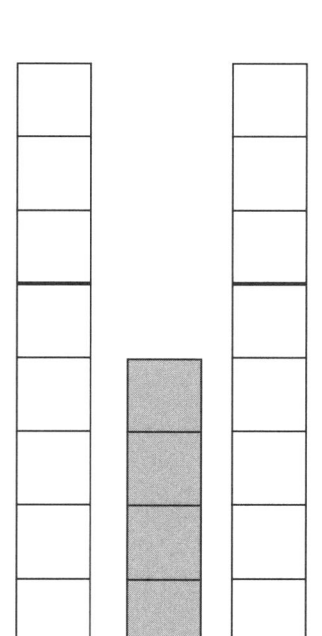

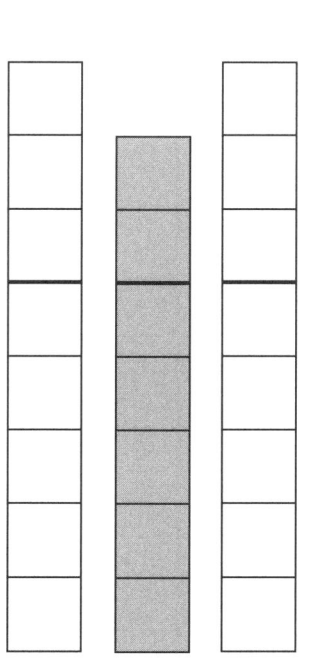

② Trage die fehlenden Zahlen ein.

○ ○ 6 ○   4 ○ ○ ○

○ ○ 2   ○ ○ 7

○ 2 ○ ○   ○ ○ ○ 9

○ ○ 5   ○ 3 ○ ○

Größer als – kleiner als

① Setze das passende Zeichen ein.

piep   ...9... ist größer als ...7...

papp   ...7... ist kleiner als ...9...

3 ◯ 7	8 ◯ 7
9 ◯ 8	3 ◯ 9
4 ◯ 8	5 ◯ 4
6 ◯ 7	1 ◯ 4
2 ◯ 3	5 ◯ 6
1 ◯ 7	7 ◯ 3

② Ordne die Zahlen von klein nach groß.

Wolke: 4, 9, 1, 6, 8, 7

_____

③ Ordne die Zahlen von groß nach klein.

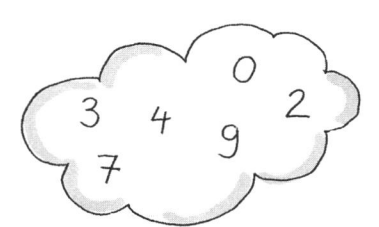

Wolke: 3, 4, 0, 2, 7, 9

_____

Name: _____ Datum: _____

Die Zahlen bis 10

① Trage die Zahlen von 1 bis 10 in die Türme ein.

② Trage die Zahlen in den Zahlenpfeil ein.

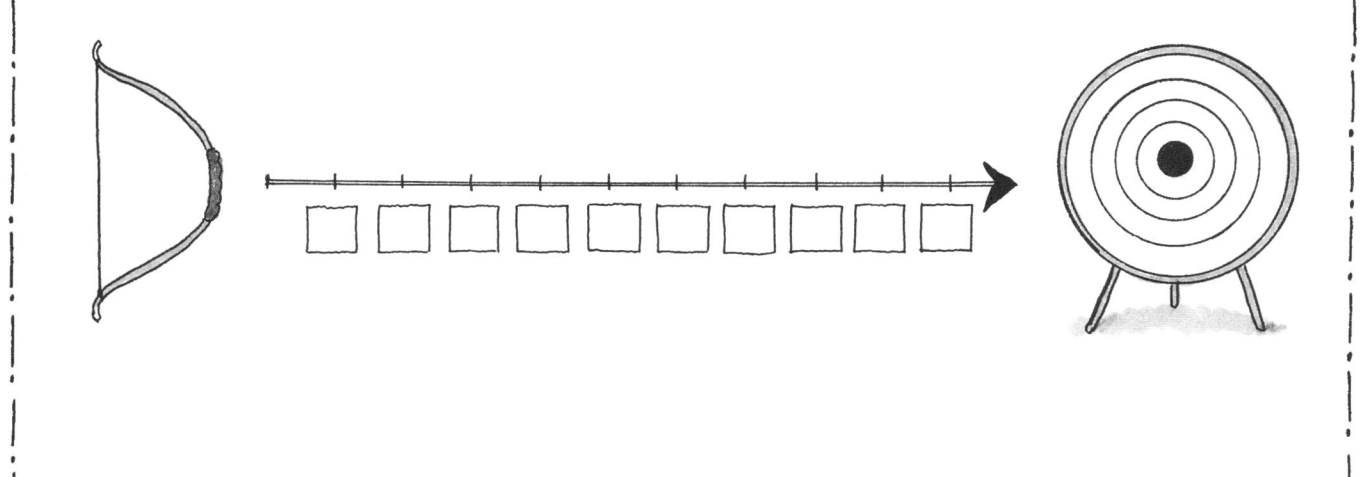

Name: _____   Datum: _____

Plusaufgaben bis 9

Schreibe die Rechnung unter die Zahlenstreifen. Der Zahlenstrahl unten hilft dir.

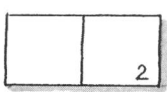

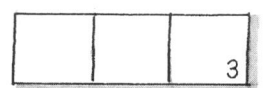

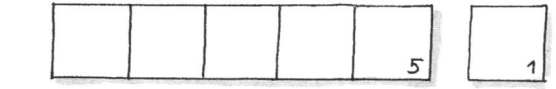

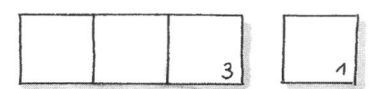

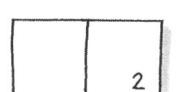

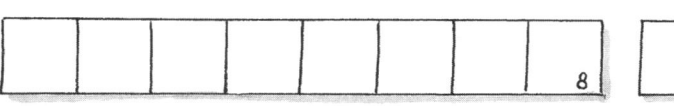

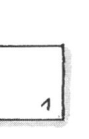

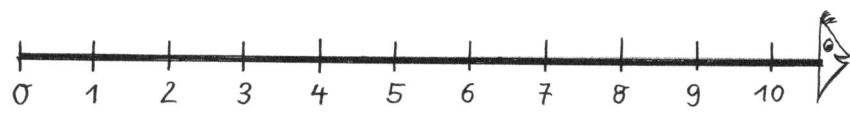

2 + 3 = ____

a) ☐ + ☐ = ☐

b) ☐ + ☐ = ☐

c) ☐ + ☐ = ☐

d) ☐ + ☐ = ☐

e) _____

f) _____

Ich helfe gern!

Tauschaufgaben

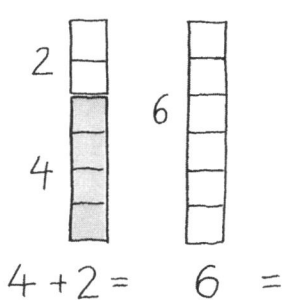

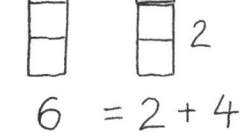

4 + 2 = 6 = 2 + 4

① Rechne und bilde die passenden Tauschaufgaben.
Deine Zahlenstreifen helfen dir dabei.

3 + 2 = ☐   T: 2 + 3 = ☐

4 + 3 = ☐   T: ☐ + ☐ = ☐

9 + 1 = ☐   T: ☐ + ☐ = ☐☐

5 + 4 = ☐   T: ☐ + ☐ = ☐

6 + 3 = ☐   T: _____

1 + 5 = ☐   T: _____

6 + 2 = ☐   T: _____

5 + 3 = ☐   T: _____

② Lege und schreibe eigene Tauschaufgaben.

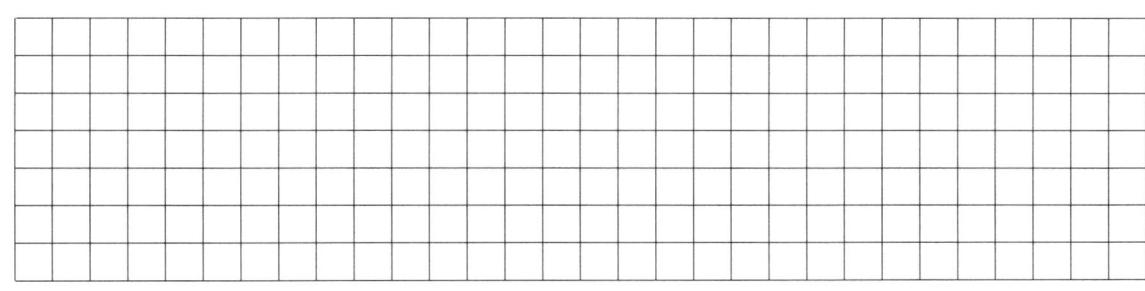

Name: _____   Datum: _____

Zahlen zerlegen

① Färbe die Kästchen und vervollständige die Aufgaben.

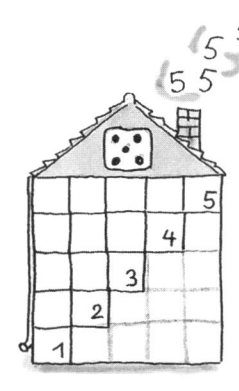

5 + [0] = 5
4 + [1] = 5
3 + [2] = 5
2 + [3] = 5
1 + [4] = 5

3 + ☐ = 3
2 + ☐ = 3
1 + ☐ = 3

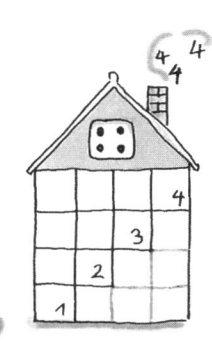

4 + ☐ = 4
3 + ☐ = 4
2 + ☐ = 4
1 + ☐ = 4

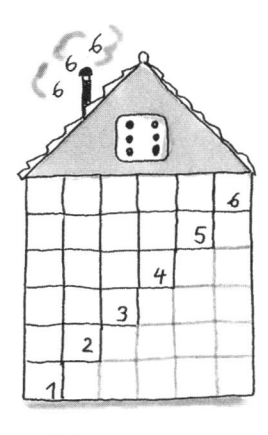

6 + ☐ = 6
5 + ☐ = 6
4 + ☐ = 6
3 + ☐ = 6
2 + ☐ = 6
1 + ☐ = 6

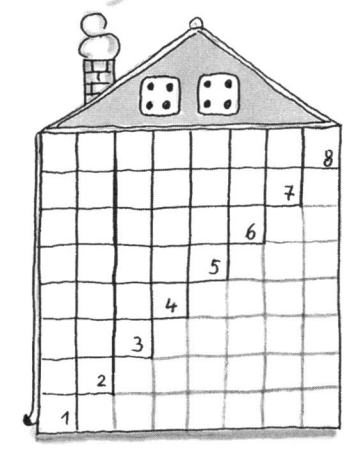

8 + ☐ = 8
7 + ☐ = 8
6 + ☐ = 8
5 + ☐ = 8
4 + ☐ = 8
3 + ☐ = 8
2 + ☐ = 8
1 + ☐ = 8

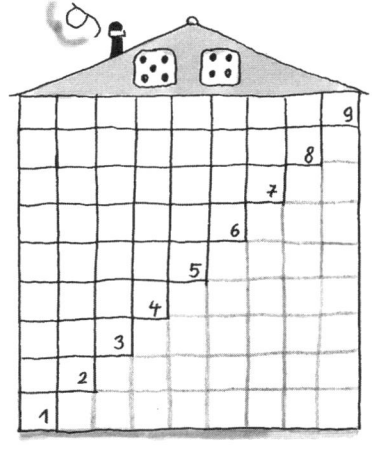

9 + ☐ = 9
8 + ☐ = 9
7 + ☐ = 9
6 + ☐ = 9
5 + ☐ = 9
4 + ☐ = 9
3 + ☐ = 9
2 + ☐ = 9
1 + ☐ = 9

② Setze die fehlenden Zahlen ein.

4 + 2 + ___ = 8   1 + 1 + ___ = 6
3 + 4 + ___ = 9   4 + 4 + ___ = 9
2 + 1 + ___ = 7   ___ + ___ + ___ = 7
1 + 4 + ___ = 5   ___ + ___ + ___ = 5

Name: _____ Datum: _____

Zehnerfreunde (1)

Färbe die Streifen und schreibe die Aufgabe in dein Rechenheft.

Zehnerfeunde (2)

① Schnapp die Zehnerfreunde. Notiere dann Aufgabe **und** Tauschaufgabe.

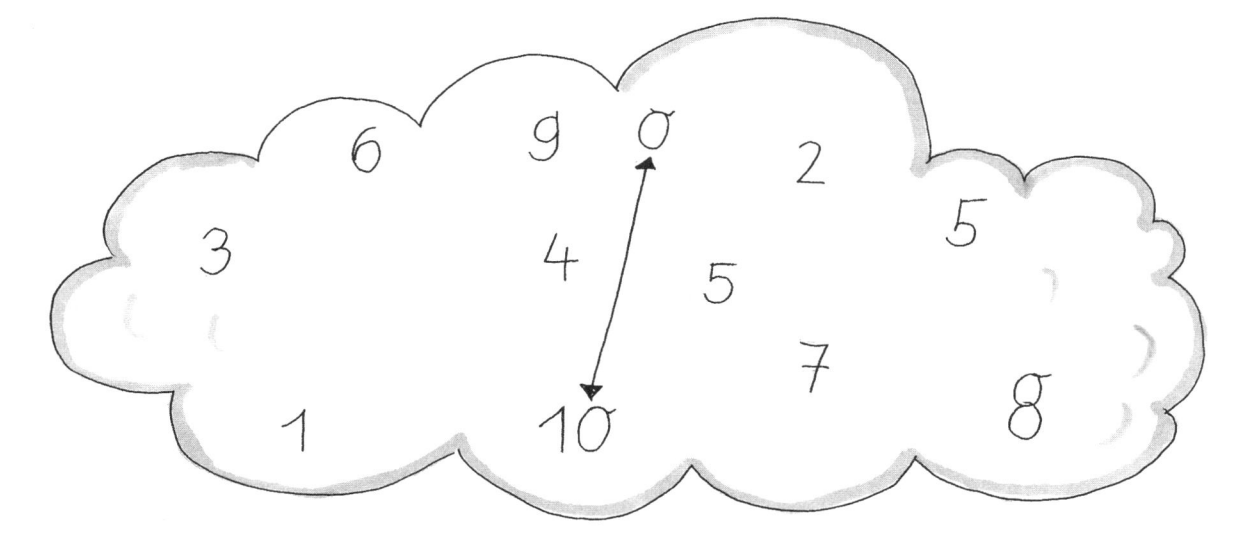

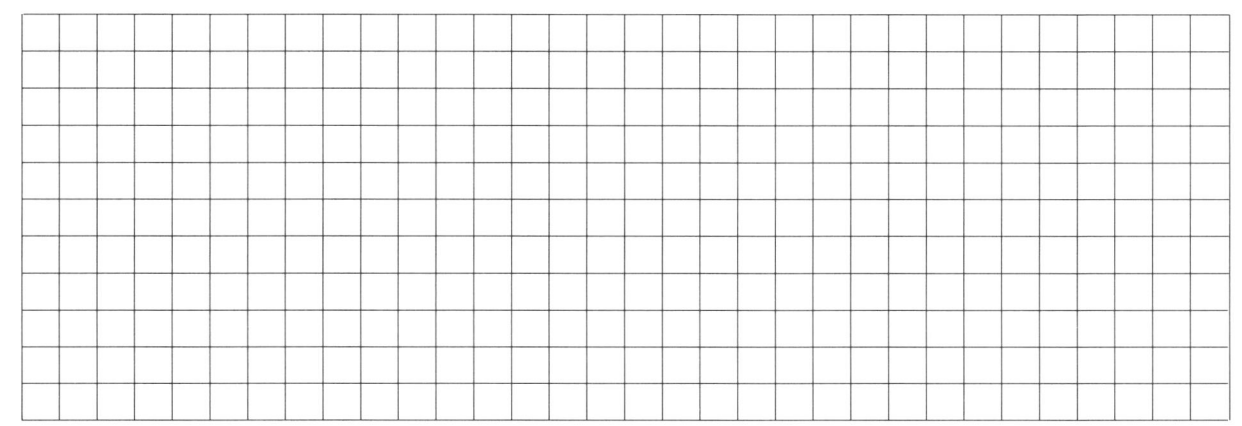

(Zahlenwolke: 6, 9, 0, 2, 3, 4, 5, 5, 7, 1, 10, 8)

② Bilde Aufgaben aus mehr als zwei Freunden.

4 + 2 + ___ = 10

3 + 1 + ___ = 10

5 + 3 + ___ = 10

③ Erfinde selber Aufgaben mit drei Zehnerfreunden.

___ + ___ + ___ = 10

___ + ___ + ___ = 10

___ + ___ + ___ = 10

Das kleine 1 + 1 bis 10

① Ergänze die fehlenden Zahlen.

+	0	1	2	3	4	5	6	7	8	9	10
0	0	1	2	3							
1	1	2	3								
2											
3											
4											
5											
6											
7											
8											
9											
10											

② Markiere die Zehnerfreunde mit Gelb.

③ Markiere alle Zwillingsaufgaben mit Orange.
So sehen Zwillingsaufgaben aus: 0 + 0, 1 + 1

④ Schaut euch die Tabelle genau an. Was fällt euch auf?
Sprecht darüber.

Minusaufgaben bis 10

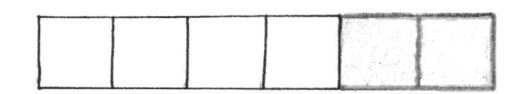

$6 - 2 = \square$ Was bleibt übrig?

Rechne die folgenden Aufgaben.
Benutze auch deine Zahlenstreifen oder die Steckwürfel, bevor du rechnest.

8 − 2 = ☐	10 − 6 = ☐
7 − 1 = ☐	8 − 5 = ☐
4 − 2 = ☐	9 − 6 = ☐
6 − 2 = ☐	8 − 7 = ☐
5 − 3 = ☐	6 − 5 = ☐
8 − 3 = ☐	10 − 9 = ☐
9 − 2 = ☐	6 − 3 = ☐
10 − 2 = ☐	8 − 5 = ☐
3 − 2 = ☐	4 − 3 = ☐

Hallo, Bruder Minus! Magst du tauschen?

Nein!

Das kleine 1 – 1 bis 10

Ergänze die fehlenden Zahlen.

−	0	1	2	3	4	5	6	7	8	9	10
10	0	9	8	7							
9	0	8	7								
8											
7											
6											
5											
4											
3											
2											
1											
0											

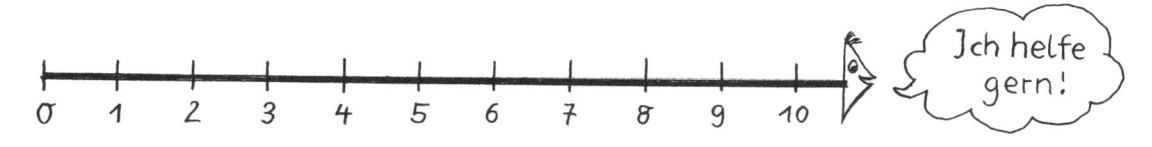

Ich helfe gern!

Umkehraufgaben

= ☐ Kinder insgesamt
3 + 4 = 7

= ☐ bleiben übrig
7 − 4 = 3

$3 \underset{-4}{\overset{+4}{\rightleftarrows}} 7$

Trage die fehlenden Zahlen ein.

Zahlenmannschaft   Aufgaben

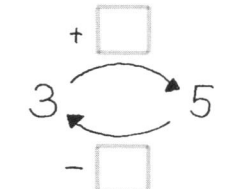

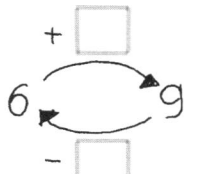

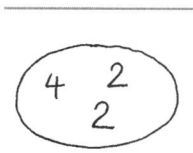

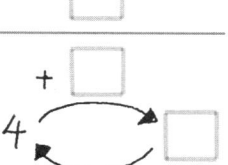

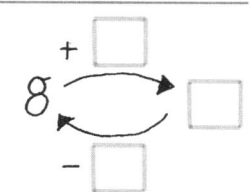

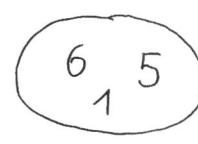

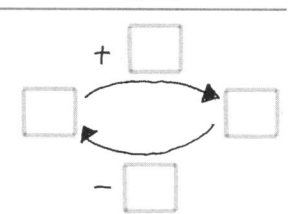

(3 2 5)
+ ☐
$3 \rightleftarrows 5$
− ☐

(9 3 6)
+ ☐
$6 \rightleftarrows 9$
− ☐

(4 2 2)
+ ☐
$4 \rightleftarrows ☐$
− ☐

(8 5 3)
+ ☐
$8 \rightleftarrows ☐$
− ☐

(6 5 1)
+ ☐
$☐ \rightleftarrows ☐$
− ☐

Umkehraufgaben

*Jede Plusaufgabe hat als Umkehraufgabe eine Minusaufgabe.
Jede Minusaufgabe hat als Umkehraufgabe eine Plusaufgabe.*

Plusaufgaben mit Platzhalter

$4 + \square = 7$

Wie viele fehlen noch?

① Jetzt du: Welche Zahl fehlt? Trage ein.

Hier hilft dir die Umkehraufgabe.

$7 + \square = 9$ $1 + \square = 9$

$2 + \square = 8$ $2 + \square = 10$

$3 + \square = 7$ $3 + \square = 6$

$\square + 6 = 10$ $\square + 2 = 7$ $\square + 4 = 9$

② Erfinde weitere Platzhalteraufgaben. Schreibe die Aufgaben in dein Rechenheft.

Minusaufgaben mit Platzhalter (1)

$6 - \square = 4$

Wie viele Bonbons muss Arithmetika wegnehmen, damit 4 übrigbleiben?

Jetzt du: Trage die fehlenden Zahlen ein.

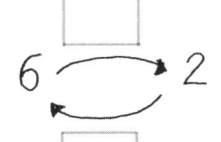

$9 - \square = 5$

$- \square$
$9 \rightleftarrows 5$
$+ \square$

$8 - \square = 3$

$- \square$
$8 \rightleftarrows 3$
$+ \square$

$7 - \square = 4$

$\square$
$7 \rightleftarrows 4$
$\square$

$6 - \square = 2$

$\square$
$6 \rightleftarrows 2$
$\square$

Minusaufgaben mit Platzhalter (2)

Ich schenke dir 2 Murmeln. 5 Murmeln behalte ich.

☐ − 2 = 5
↓   ↘
verschenkt behalten

Wie viele Murmeln hatte Arithmetika vorher?

Jetzt du: Trage die fehlenden Zahlen ein.

☐ − 4 = 6

☐ − 2 = 5

☐ − 6 = 2

☐ − 5 = 4

Name: _____ Datum: _____

Die Zahlen bis 20

① Zeichne und schreibe als Zahl.

	Zehnersack	Einer	Zahl
1Z 2E	🟤	..	12
1Z 4E			
1Z 8E			
2Z 0E			

② Schreibe die Zahlen in den richtigen Turm.

	Z	E
11	1	1
12		
13		
14		
15		

	Z	E
16	1	6
17		
18		
19		
20		

③ Schreibe als Zahl.

dreizehn _____   1Z 1E _____

1Z 2E _____   sechzehn _____

2Z 0E _____   1Z 4E _____

neunzehn _____   1Z 5E _____

elf _____   zwanzig _____

Name: _____   Datum: _____

Zuerst zur 10 und dann weiter (bei Plusaufgaben)

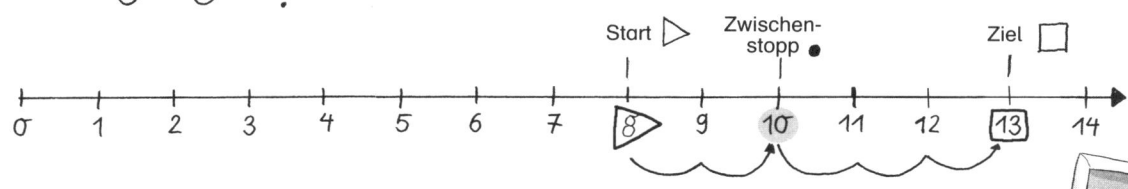

$8 + 5 = ?$

$(2 + 3 = 5)$

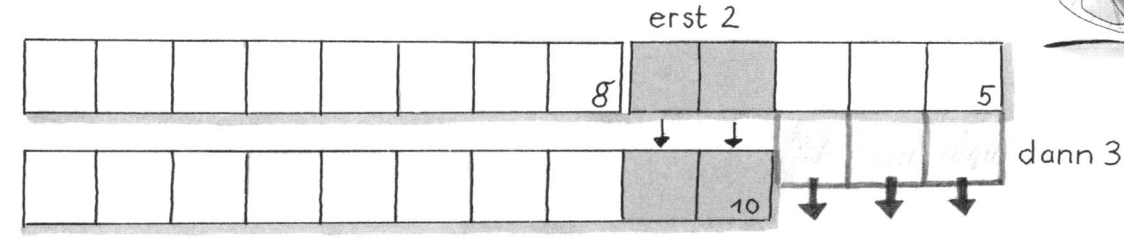

Erst bis zur 10 und dann den Rest.

So kannst du die Aufgabe mit deinen Streifen legen:

erst 2 — dann 3

Markiere Start, Zwischenstopp und Ziel wie im Beispiel.

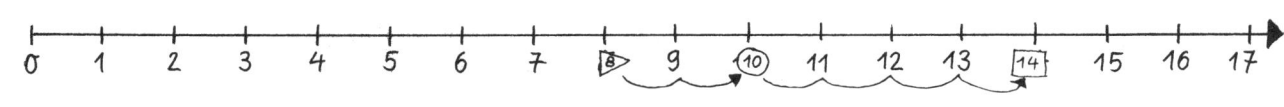

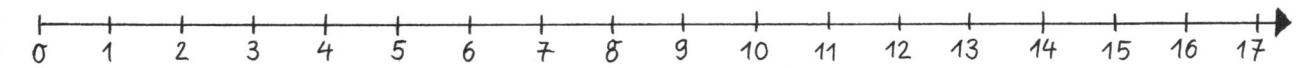

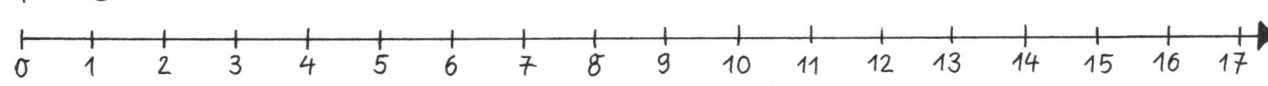

$8 + 6 = 14$

$4 + 8 =$

$5 + 6 =$

$2 + 9 =$

$7 + 5 =$

Zuerst zur 10 und dann weiter (bei Minusaufgaben)

Erst 2 zurück bis zur 10, dann noch 2 zurück.

12 − 4 = ?

Markiere Start, Zwischenstopp und Ziel wie im Beispiel.

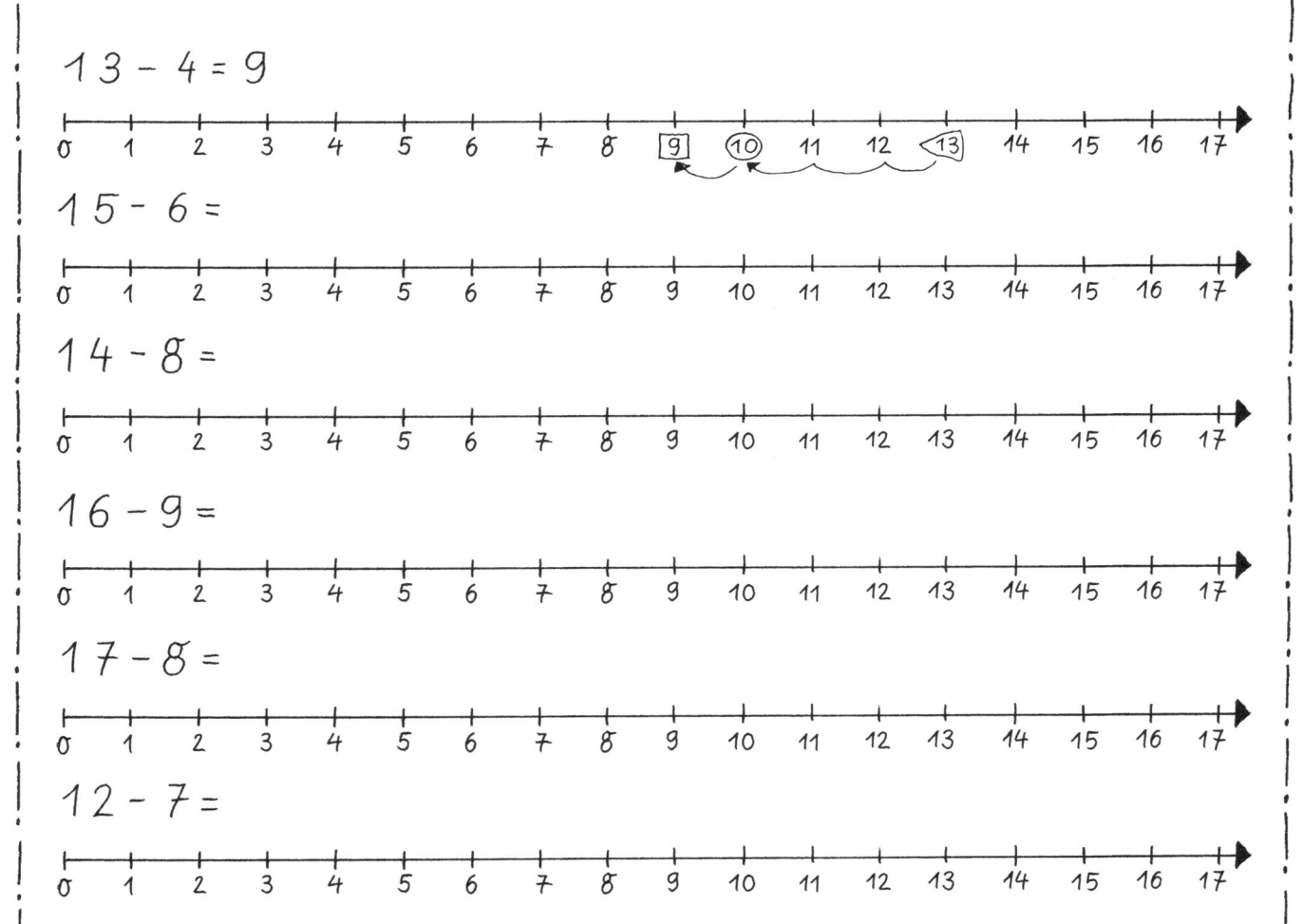

13 − 4 = 9

15 − 6 =

14 − 8 =

16 − 9 =

17 − 8 =

12 − 7 =

Name: _____   Datum: _____

Rechengeschichten

① Erfinde kleine Rechengeschichten zu folgenden Aufgaben und male dazu.

5 + 3   8 - 3

② Was rechnest du, wenn du folgende Wörter in einer Rechengeschichte liest?

Ich lese	Ich rechne
dazukommen	
geschenkt bekommen	
verschenken	
gewinnen	
aufessen	
wegnehmen	

Name: _____ Datum: _____

Plus-Minus-Zwanzig

Plus-aufgaben	Minus-aufgaben	Vorgänger	Nachfolger	Zehnerfreund	bis 20	Punkte

© Oldenbourg Schulbuchverlag GmbH, OKV 130, Aus dem Land Zahlia